INTERDIT

Karine Tuil est née à Paris en 1972. Elle est l'auteur de huit romans parmi lesquels *Tout sur mon frère*, *Quand j'étais drôle* ou encore *Douce France*. Trois de ses livres (*Interdit*, *La Domination* et *Six mois, six jours*) ont déjà fait partie de la sélection du prix Goncourt.

Paru dans Le Livre de Poche :

LA DOMINATION

DOUCE FRANCE

QUAND J'ÉTAIS DRÔLE

SIX MOIS, SIX JOURS

KARINE TUIL

Interdit

ROMAN

GRASSET

© Éditions Grasset & Fasquelle, 2010.
ISBN : 978-2-253-13337-7 – 1re publication LGF

*À la mémoire de Joseph Séror
et Edmond Tuil,*

À mes parents.

« *Qu'ai-je en commun avec les Juifs ? J'ai déjà à peine quelque chose en commun avec moi-même […].* »

Franz KAFKA
(1883-1924, *Journal*).

« *Les morts ne louent pas Dieu.* »

Psaumes CXV, 17.

Je m'appelle Saül Weissmann, mais ne vous fiez pas à mon nom qui n'est pas juif en dépit des apparences. J'ai été, pendant soixante-dix ans, un imposteur pour les autres et pour moi-même.

Hier encore, j'étais juif. Je vivais paisiblement dans mon studio de la rue des Rosiers, entouré de mes objets fétiches : mes livres, un vieux rocking-chair en cuir que j'avais chiné aux puces de Saint-Ouen, une photo dédicacée de Brigitte Bardot, un candélabre à sept branches, et ma collection de marionnettes, sans me douter que, le jour suivant, je ne serais plus juif. Je n'ai pas été excommunié, je ne me suis pas converti – non, je n'ai rien fait pour ne plus l'être.

J'ai été circoncis à ma naissance comme n'importe quel nouveau-né juif. J'ai été recensé pendant la guerre, puis déporté à Auschwitz en tant que juif. Et pourtant j'ai appris de la bouche d'un rabbin que je ne l'étais pas. Quand il me l'a annoncé, j'ai d'abord pensé qu'il se fiait à mon allure laïque – je n'ai pas de barbe, je ne porte pas de calotte sur la tête –, et je me suis justifié en invoquant mon hostilité au port de signes ostentatoires à cause de l'étoile jaune qu'on m'avait cousue sur ma veste et qui m'avait mené où l'on sait. C'est alors qu'il s'en est pris à ma mère – Dieu ait son âme – en affirmant qu'elle n'était pas juive et que, par voie de conséquence, je ne l'étais pas non plus. Vous imaginez ma stupeur et ma douleur – car je souffre –, en quelques minutes, ce rabbin avait fait basculer ma vie dans la plus affligeante banalité : je n'étais plus un élu de Dieu.

Ah ! je le revois avec son triste sourire de fin de prière, l'œil fatigué, le visage fermé comme un poing ! Une barbe rousse, longue et épaisse, recouvrait la partie inférieure de son visage, dissimulant ses lèvres et ses narines. Chaque parcelle de ses joues était envahie de poils souples. Il n'y avait pas un pore qui ne fût comblé. Et même de ses oreilles jaillissaient, telles de mauvaises herbes, quelques touffes de poils cuivrés. En revanche, la partie supérieure de son visage était totalement imberbe. Une terre infertile. Aucun cil ne se balançait au bout de ses paupières, ses sourcils semblaient avoir été épilés un par un à la pince ou arrachés à la cire. Pas un cheveu ne prenait racine sur son crâne aussi lisse et pâle qu'un os. Mais ce sont ses yeux qui me troublèrent le plus : des yeux globuleux d'un bleu nuit, vif et profond, débordant de foi et de confiance ; les miens ne reflètent que des doutes : que pouvaient-ils avoir en commun lorsqu'ils se sont croisés ? Je ne lui renvoyais que l'image d'un vieil homme au visage chiffonné ; pourtant, lorsque je contemple mon reflet dans le miroir, je constate – avec jubilation – que mes pommettes sont restées saillantes. Ma chevelure n'a rien perdu de sa vigueur. C'est à peine si quelques éclats d'argent trahissent mon âge. Aux commissures de ma bouche, deux fossettes rappellent que je sais encore sourire. Mes lèvres ne se sont pas affinées, ma langue est celle d'un nourrisson à l'affût de nouvelles saveurs. Seules mes dents – toutes fausses – témoignent du processus de sénescence qui s'est enclenché à mon insu. Oui, je suis vieux, inutile d'éviter ce mot qui fait si peur à ceux qui ne le portent pas sur le visage comme une insulte.

J'ai senti le regard du rabbin sur mon corps las. Il s'est approché de moi – je le dépassais de trois têtes – et m'a tendu une main moite en se contorsionnant pour éviter le regard de celle qui n'était alors que ma compagne. Elle s'appelle Simone Dubuisson et elle est juive en dépit des apparences. J'avais fait sa connaissance trois mois auparavant lors d'une sortie en forêt organisée par les Randonneurs juifs de France. Nous étions une vingtaine (dix-sept femmes et trois hommes) – juifs de bonne compagnie, célibataires et âgés de plus de quarante ans –, désireux de rencontrer l'âme sœur juive. Nous avions sillonné la forêt de Fontainebleau, en rangs serrés, guidés par notre instinct grégaire, heureux d'être ensemble *de notre plein gré*. Moi, j'étais resté près de Simone durant tout le trajet. Je l'avais tout de suite remarquée : c'était la plus jeune, à peine quarante-trois ans, petite (1,50 mètre bien tassé), des cheveux bruns dehors et blancs dedans, des yeux délavés et un sourire à tomber par terre avec des dents dont on dit qu'elles portent chance à ceux qui les possèdent encore. Mais elle se distinguait surtout par la forme busquée de son nez : Simone était la seule rescapée d'une dictature de la beauté orchestrée par des chirurgiens esthétiques qui participaient, à coups de bistouri, à la révolution juive. Les temps avaient changé. Les juifs confiaient leurs déviances aux psychanalystes et les déviations de leur cloison nasale aux chirurgiens.

Simone ne plaisait plus aux hommes : elle n'avait pas le bon profil. Pourtant, dès que je l'ai vue, j'ai su que c'était elle, pas la femme de ma vie, il n'en restait rien, mais celle qui m'accompagnerait jusqu'à la mort. À soixante-dix ans, il faut considérer l'amour comme une unité de soins palliatifs. Elle m'avait raconté sa vie et avoué ses ambitions qui se limitaient en deux mots : se marier. Sa franchise m'avait séduit. Les seize autres participantes cherchaient des champignons comestibles en espérant trouver un mari. Simone m'avait demandé si j'étais juif et j'avais dit « oui », spontanément – comment aurais-je pu en douter ? –, elle avait lâché un soupir de soulagement avant de poser ses lèvres sur mon front comme on appose un label « origine contrôlée » sur un animal. Ainsi rassurée, Simone ne me quitta plus. Quelques semaines plus tard, elle organisa une rencontre avec un rabbin parisien en vue de notre mariage. Pourquoi m'y serais-je opposé ? Elle portait ses quarante-trois ans sans faux pli ni vice caché – non, chez elle, les vices de forme étaient apparents, ce qui limitait les contestations ultérieures – et, surtout, elle faisait preuve de la même prévenance qu'une infirmière : « As-tu pris ta température, tes médicaments contre le diabète, l'hypertension ? Es-tu allé de corps ? Mange ta soupe ! Couvre-toi, tu vas prendre froid ! Agrippe-toi à la rampe en descendant ! » ; c'était essentiel car, si je me fiais aux statistiques, j'avais plus de chances de me casser le col du fémur que de lui faire un enfant.

Mais je m'éloigne de mon sujet, je perds un peu la tête quand je parle de Simone. C'est elle qui a insisté pour que nous nous mariions religieusement ; je m'y opposais : Dieu n'était pas venu à Auschwitz, pourquoi aurait-il assisté à mon mariage ? Simone s'obstinait. Elle s'imaginait dans une robe blanche incrustée de perles et de strass au bras de son père. Lentement, le visage recouvert d'un voile de tulle, elle s'avançait vers l'autel sous le regard soulagé de Dieu et des siens. Ah ! Simone rêvait ! D'une belle cérémonie religieuse bercée par les bénédictions du rabbin. D'une grande fête avec traiteur et orchestre. C'était indécent de manger, de boire, de danser et de rire alors que des millions de morts nous épiaient. Simone s'en fichait. Simone voulait vivre : « Tu as déjà un pied dans la tombe », me dit-elle avec acrimonie lorsque je lui fis part de ma réserve. Je le savais : il y était depuis cinquante ans. En m'épousant, Simone devrait honorer un mort et un vivant, me respecter moi et ma mémoire, prier pour que je vive et pour que mon âme repose en paix. Chaque mois, je récite le *kaddish* pour la partie de moi-même qui est morte à Auschwitz. Simone m'écoute par respect pour la mémoire des morts : c'est une spécialiste des rites funéraires, son père possède une entreprise de pompes funèbres ; elle est merveilleuse, je vous l'ai dit. Et elle m'a réservé sa virginité, elle a su la préserver – oh ! sans effort !, Simone est laide ; je le dis sans la moindre amertume. Son corps est un amas graisseux criblé de cellulite. Sa peau, aussi rugueuse qu'un tronc d'arbre, exhale

15

l'odeur d'une chambre qui n'a pas été aérée depuis des semaines. De longues varices serpentent ses jambes comme une vermine grouillante. Ses seins, qu'aucun soutien-gorge ne peut plus soutenir, s'entrechoquent au niveau de son nombril. Et plus haut, s'étiole son visage fané sur lequel mes yeux se posent avec effroi. Sa bouche ressemble à la fente d'une boîte aux lettres avec ses contours tranchants et son aspect métallique ; plus d'une fois, ma langue s'y est blessée ; ses yeux – deux olives juteuses – dégoulinent de concupiscence et de pudeur mêlées ; son nez, enfin, petite masse informe, n'a jamais connu le parfum enivrant des corps, condamné à ne humer que des plats cuisinés.

Aucun homme ne voulait de Simone. Simone était prête à accepter n'importe quel homme. Pourvu qu'il soit juif. Et moi, si j'en croyais le rabbin, je ne l'étais pas. J'avais pourtant mis toutes les chances de mon côté. Pour l'occasion, j'avais revêtu mon costume de scène (qui m'avait coûté la coquette somme de quatre-vingts dollars dans les années 70) et un béret noir en laine que j'avais acheté la veille aux puces de Montreuil pour seulement quinze francs. Simone s'était drapée dans une robe en satin pourpre qui ne laissait entrevoir ni ses jambes ni ses bras. Elle avait tressé ses longs cheveux crépus et avait noué par-dessus un fichu noir qui accentuait la sévérité de ses traits. Mais le rabbin était pressé : un mariage ou une bar-mitsva à célébrer, un divorce à prononcer, un office à organiser – Dieu et les hommes ne lui laissaient aucun répit. Sans nous adresser la parole, il nous fit entrer dans son bureau, une pièce exiguë sans fenêtre sur l'extérieur dont le mobilier se limitait à une table en bois, trois chaises en plastique bon marché et une lampe halogène. Que savait-il du chant des oiseaux, de la lumière du jour, des rires des enfants, claquemuré dans ce lieu surchauffé et austère ? Des plaques de peinture se décollaient des murs rongés par l'humidité sur lesquels avaient été accrochés des portraits de rabbins. Simone paraissait intimidée. Elle n'osait pas bouger ni même lever les yeux, prostrée dans une attitude de soumission qui me rendit perplexe : épaules rentrées vers l'intérieur, dos voûté, bras croisés. Ainsi repliée sur elle-même, elle ressemblait à un mollusque qu'un pied malveillant s'apprête à écraser. Avait-elle pressenti la suite des événements ? Se doutait-elle que le rabbin lui annoncerait la terrible nouvelle qui plongerait son corps dans un deuil éternel ? Simone subodorait le pire car sinon comment expliquer les tremblements qui agitaient ses mains et le rictus crispé qui déformait sa bouche ? Je pris ses doigts entre les miens et les caressai avec la pulpe de mon majeur. J'eus à peine effleuré sa peau brûlante que le rabbin me lança un regard réprobateur. Les signes extérieurs de tendresse n'étaient pas autorisés dans l'enceinte de la synagogue. Les hommes à gauche, les femmes à droite, et l'on ne se regarde pas, c'est un ordre ! Séparons-les. Prions ! Prions ! Que les femmes se taisent ! Que les hommes se courbent ! Que les yeux se baissent ! Et que crève le désir. Toucher Simone, c'était comme goûter un aliment interdit. Je lâchai sa main ; Simone ne broncha pas, elle se recroquevilla davantage sur elle-même. Le rabbin s'adressa à moi sur un ton mièvre et doucereux : c'est ainsi qu'on apostrophe les vieux. Il insista sur les devoirs de chacun des époux et me questionna longuement sur la sincérité de mon désir d'acquérir Simone – était-elle donc si laide pour qu'il me harcelât de la sorte ? – avant de m'offrir différents guides à l'usage des jeunes mariés. Puis il me demanda quelle avait été ma profession. Je répondis « avocat », sans préciser que je n'avais défendu que moi-même ; je n'osai pas mentionner que j'étais aussi marionnettiste, à cause des préjugés. Il plissa ses yeux et grinça des dents. Sous ses paupières décillées, je discernais à peine ses pupilles. D'un brusque mouvement du bassin, il se tourna vers Simone.

— Je suppose que vous ne travaillez pas…

— Non, acquiesça-t-elle, alors que la recherche d'un mari est un travail à temps plein.

Avant de me rencontrer, Simone y consacrait trente-neuf heures par semaine sans compter les week-ends et jours fériés. Et s'il y avait un jour où elle ne chômait pas, c'était bien le shabbat. Chaque vendredi soir et samedi matin, Simone se rendait à la synagogue dans l'espoir de croiser le regard d'un homme. Elle arrivait la première, avant le début de l'office, prenait place au premier rang, puis attendait que tous les hommes fussent assis. Le visage dissimulé derrière un livre de prières, elle sélectionnait à sa guise d'éventuels prétendants. Celui-là portait son châle de prière avec élégance et priait avec ferveur : il ferait un bon mari ; cet autre souriait aux enfants : il ferait un bon père. À l'issue de l'office, Simone communiquait ses choix au rabbin. Ce dernier organisait une rencontre qui se soldait toujours par un échec. Le vendredi suivant, Simone n'avait pas d'autre choix que de retourner à la synagogue. Ce rituel presque religieux se déroula ainsi pendant des années jusqu'au jour où un rideau sépara l'espace réservé aux hommes de celui qui était occupé par les femmes. Ainsi en avaient décidé les hommes qui se sentaient agressés pendant leurs prières par les regards poudrés et les bouches peintes en rouge. Débauche de couleurs et d'odeurs. Et les rires des femmes, leurs murmures, les effluves de leur parfum capiteux : interdits. L'une d'elles osait-elle repousser de sa main l'un des pans du rideau qu'aussitôt un homme fronçait les sourcils. Telle une petite fille prise en faute, elle réajustait la toile et écarquillait les yeux pour tenter d'entrapercevoir les rouleaux sacrés à travers la maille épaisse du tissu. « Silence ! » s'écriaient les hommes. « Amen » chuchotaient les femmes.

Simone, qui ne pouvait plus observer les fidèles avec la sérénité et l'objectivité requises, se mit en quête d'un mari comme on cherche un emploi : elle lisait les petites annonces, faisait du porte-à-porte, se renseignait pour savoir si un homme avait divorcé dans la région. Oui, Simone est une femme active. Et ne croyez pas qu'elle ait perçu la moindre allocation, l'État n'incite plus au mariage. Avec quelle humilité baissa-t-elle les yeux devant le rabbin ! Et il en fut satisfait ; il afficha un sourire pour la première fois depuis le début de notre entrevue. Comment aurais-je pu pressentir que cet homme serait la cause de tous mes malheurs ? Quand il nous demanda de lui fournir l'acte de mariage religieux de nos parents respectifs,

Simone ne me sembla pas étonnée ; elle fouilla dans son sac, en sortit un papier rédigé en hébreu et en français et le tendit au rabbin qui l'examina consciencieusement.

— Bien, dit-il en posant le document sur son bureau. Et le vôtre ? reprit-il en se tournant vers moi.

Je restai de marbre, ne sachant quoi répondre.

— Alors, sors-le ! s'écria Simone en me donnant des coups de coude.

Je ne possédais rien, la guerre m'avait tout pris, y compris mes parents. Avaient-ils été mariés ? Quelle importance : je savais que j'étais juif, je pensais que cela constituait un fait suffisant.

— Alors ? m'interpella Simone sur un ton qui trahissait son angoisse.

— Je ne l'ai pas.

— Tu l'as oublié ?

— Non. Je ne possède pas ce document.

— C'est impossible ! s'écria Simone.

— C'est impossible ! répéta le rabbin.

— Calmez-vous ! Je n'ai pas ce document, quelle importance ?

Le rabbin me dévisagea d'un air sévère.

— Ce document, cher monsieur, atteste de la judéité de vos parents.

— Eh bien, je vous assure de bonne foi que je suis juif.

— Mais je ne peux pas me contenter de votre parole, renchérit le rabbin en tapant son poing sur la table, il me faut des preuves.

Il doutait. Je croyais qu'entre juifs, une poignée de main suffisait. J'avais tort. Le rabbin, qui est un homme de loi, exigeait des preuves écrites et irréfragables. Simone, dont le maquillage commençait à couler sous l'effet de la chaleur, posa sur moi un regard désespéré qui en disait long sur sa condition de femme.

— Alors, ces preuves !

— Je n'en ai pas : je sais simplement que je suis juif.

— Et comment savez-vous cela ?

— Je le tiens de mes parents.

— Bien. Peuvent-ils en témoigner ?

— Non. Ils sont morts en déportation.

— Avez-vous des oncles, des tantes qui pourraient m'en apporter la preuve écrite ?

— Ils ont tous été déportés et gazés à Auschwitz *parce qu'ils étaient juifs*.

— Mais ce n'est pas une preuve ! Il me faut des documents écrits, des témoins vivants.

J'étais désemparé : tous mes témoins étaient morts.

— Mais je vous assure que…

— Sans preuve, pas de mariage.

— Weissmann, c'est un nom juif ! fit remarquer Simone.

— C'est exact. J'ai été recensé en tant que juif pendant la guerre sur le seul fondement de mon patronyme.

— Il ne faut jamais se fier aux apparences, lança le rabbin en dodelinant la tête de gauche à droite et de droite à gauche.

Simone inspira plusieurs fois pour tenter d'évacuer l'angoisse qui la submergeait. Des plaques rosâtres colorèrent son visage et son cou. Le rabbin pivota vers moi.

— Comment s'appelait votre mère ?

— Michèle Chamon, répondis-je avec fierté, car ma mère était une comédienne célèbre dans les années 30.

— Chamon, ce n'est pas un nom juif ! s'exclama-t-il.

— Mais vous venez de nous dire que vous ne pouviez pas vous contenter des…

— Taisez-vous !

— Nous sommes juifs de père en fils ! invoquai-je pour ma défense.

— Il faut l'être de mère en fils, corrigea-t-il sèchement.

Un long silence nous étrangla. Simone – qui ne comprenait rien à la transmission qu'elle tenait pour une science occulte – baissa les yeux.

— Au regard de la Loi juive, c'est la mère qui transmet la religion à son enfant.

Je venais d'apprendre – avec stupeur – que les juifs ne naissaient pas égaux en droits.

Ma langue devint pâteuse. Je sentais mon cœur s'agiter dans sa cage. Mon pouls battait la mesure. Une douleur fulgurante comme un vol d'oiseaux me transperça la poitrine. Ah ! si ma mère était vivante ! pensai-je, elle saurait me défendre ! Car il n'y a pas de meilleur avocat qu'une mère. « Je suis plus juive que vous ! » aurait-elle crié de sa belle voix grave qui avait servi tant de textes. Et le rabbin se serait tu par crainte des femmes – tout ce qui nous est étranger nous fait peur –, ma mère aurait eu le dernier mot

22

comme dans ces longs monologues qu'elle récitait sans jamais faiblir. Ah ! ma mère ! Je me souviens de ces délicieux gâteaux fourrés au chocolat qu'elle me confectionnait pour le goûter. Le lait chaud qu'elle m'apportait à la sortie de l'école. La citronnade fraîchement pressée qu'elle mettait tous les jours dans mon sac. Et ses baisers ! Ah ! ses baisers qui dégoulinaient de tendresse et tachaient mes joues ! Il n'y avait aucun doute possible : ma mère était une vraie mère juive. Elle imbibait de son amour le moindre objet. Je tentai de l'expliquer au rabbin. Son verdict fut sans appel :

— Si une femme n'est pas juive, son enfant ne le sera pas non plus.

C'était une variante juridico-religieuse du principe selon lequel « les chiens ne font pas des chats » mais je me gardai bien de le lui faire remarquer : bien qu'étant juif, ce rabbin n'avait aucun sens de l'humour.

— Je suis désolé mais en l'absence de preuves écrites et compte tenu des fortes présomptions qui pèsent contre votre mère, je suis au regret de vous dire que vous n'êtes pas juif.

Simone retint un cri. Elle planta ses yeux dans les miens : j'étais un étranger dans son regard.

— Il s'agit d'un malentendu, d'une erreur d'interprétation de la loi. J'ai soixante-dix ans et j'ai toujours été juif.

— C'est vrai, ajouta Simone, je l'ai connu en tant que tel.

— Je suis circoncis, précisai-je.

— Ce n'est qu'un commencement de preuve.

— Je vous jure sur l'honneur que je suis juif.

— Votre parole ne me suffit pas. Avec tous ces juifs imaginaires, il faut être vigilant.

Il me traitait de « juif imaginaire », ma souffrance, elle, était bien réelle.

Simone semblait de plus en plus inquiète. Ses joues s'empourpraient à mesure que le rabbin haussait le ton. Elle ramena son fichu sur son front qui ruisselait de sueur.

D'un geste brusque, le rabbin ferma le dossier qu'il avait constitué à notre intention, croyant mettre un terme à notre entrevue.

J'approchai mon visage du sien.

— Écoutez, en 41, les termes de la loi étaient sans ambiguïté : est regardé comme juif celui ou celle qui est issu d'au moins trois grands-parents de race juive, ou de deux seulem…

— Assez ! s'écria le rabbin en postillonnant sur l'acte de mariage religieux des parents de Simone. Comment osez-vous me citer une loi d'exception rédigée sous Pétain quand moi je vous parle d'une loi éternelle écrite par Moïse sous la dictée de Dieu !

— Mais je vous certifie qu'à l'époque j'étais bien juif, cela était même mentionné sur ma carte d'identité !

— Pour les juifs, vous n'êtes plus juif, mais pour les autres, sachez que vous le resterez toujours.

Sur ces mots, il se leva de sa chaise :

— Je ne peux pas vous marier à Mlle Dubuisson, conclut-il.

Je lui demandai son âge, qui n'était pas affiché sur son visage.

— Vingt-quatre ans, répondit-il, mais je ne vois pas le rapport avec votre problème.

— Mon problème ? Il s'agit de notre problème !

Le rabbin détourna son regard.

— Ce n'est pas un rabbin de vingt-quatre ans qui va apprendre à un vieux juif comme moi ce qu'être juif signifie !

Il releva les yeux vers moi.

— J'ai fait cinq ans d'études, monsieur, pour devenir rabbin ; je suis un vrai professionnel, je connais la Loi mieux que vous, et je suis au regret de vous dire que vous n'êtes pas juif !

— Il doit bien exister une jurisprudence, une application au cas par cas.

— La Loi ne tolère aucune exception.

— C'est impossible ! On ne peut pas être juif pour les uns et non-juif pour les autres !

— Disons simplement qu'en l'absence de preuves vous n'êtes ni tout à fait l'un ni tout à fait l'autre.

— Tu es un demi-juif, renchérit Simone.

Le rabbin hocha la tête en signe d'acquiescement.

J'étais une moitié d'homme.

Ils me dépossédaient de mon identité, fouillaient mes entrailles, arrachaient cette peau que d'autres avant eux avaient tenté de brûler. Ils décidaient pour moi, parents injustes, intransigeants, autoritaires. Ils m'abandonnaient au bord de la route – j'avais froid –, sans espoir de retour, me condamnant à errer jusqu'au restant de mes jours.

J'ai d'abord pensé qu'il s'agissait d'un cauchemar. *Naturellement*. Car ma vie n'était qu'un mauvais rêve. Peuplée de monstres à visages humains. Hantée par de vrais fantômes. Chaque nuit obéissait à un même rituel : endormissement : inhumation – réveil : exhumation. En me couchant – non sans avoir au préalable avalé quelques somnifères – je devenais le propre fossoyeur de mon âme. Je savais qu'au bout de la nuit mes démons m'assailleraient. Dans mes cauchemars, les juifs avaient le corps taillé dans des tiges de roseau, squelettes désarticulés dont l'âme ne dégageait plus que l'odeur âcre de la cendre et de la chair brûlée. Ces juifs-là ne se souciaient pas de savoir s'ils étaient bien juifs : ne les tuait-on pas au seul motif qu'ils l'étaient ? Ils ne se souciaient pas de savoir si leur mère était juive : était-elle seulement vivante ? Non, dans mes cauchemars, les juifs se souciaient simplement de survivre.

Je les ai regardés longuement ces juifs parfaitement juifs. J'ai scruté leurs yeux indigents, aussi vides que leurs âmes.

J'ai alors conseillé au rabbin de gonfler les effectifs à cause de la pénurie, mais, pour toute réponse, il a haussé les épaules en arguant que le judaïsme ne pratiquait pas de prosélytisme.

— Les mariages mixtes et l'assimilation représentent un fléau pour notre communauté, a-t-il cru bon de me rappeler.

Moi, Saül Weissmann, déporté à Auschwitz avec toute ma famille, en tant que juif, je représentais donc une menace pour l'avenir du judaïsme.

Je ne savais plus qui j'étais. J'avais vécu pendant soixante-dix ans en tant que juif (et Dieu sait si j'avais quelquefois trouvé le temps long !), et voilà que l'on m'imposait de devenir un autre ! Je ne pouvais pas changer mes habitudes du jour au lendemain ! Étais-je exempté d'appliquer les préceptes religieux du judaïsme : respecter le shabbat, jeûner le jour du Grand Pardon, pleurer la destruction du second Temple, ou étais-je toujours contraint de me plier aux six cent treize commandements que la Loi divine nous impose ? Le rabbin refusa de m'éclairer sur ces points.

— Il faut appeler un chat un chat. Je suis juif ou je ne le suis pas.

— Il faudrait que vous vous convertissiez.

— Me convertir ? Jamais ! J'ai déjà refusé de le faire en 1940, je ne vais pas me convertir aujourd'hui. Je reste ce que je suis.

— C'est très complexe. Vous avez un statut particulier.

— En 1940 aussi j'avais un statut particulier en tant que juif, et l'on sait où cela m'a mené.

Il conclut qu'il était désolé mais que je ne pourrais pas épouser ma fiancée à la synagogue, devant Dieu qui en avait pourtant vu d'autres.

Et Simone a craqué.

Pardonnez-moi d'exposer ainsi notre intimité. Je souhaite simplement vous démontrer l'ampleur de ce drame. Les nerfs de Simone lâchèrent devant le rabbin. Cela faisait près de trente ans qu'elle cherchait un mari – c'est une denrée rare de nos jours, les hommes ont toutes les femmes à portée de main, ils n'ont qu'à se servir, pourquoi accéderaient-ils à la propriété, la location présente de bien meilleurs avantages. Nous vivions une ère pré-messianique : les femmes consentaient à offrir leur corps sans rien exiger en échange. Les putes étaient au chômage. Personne n'avait plus aucune raison de se marier. Sauf Simone et moi. Simone, qui avait perdu sa virginité entre mes bras, souhaitait régulariser sa situation vis-à-vis de Dieu ; moi, j'avais peur de vieillir seul – une épouse coûtait moins cher qu'une infirmière à domicile. Mais je m'égare quand je parle de la virginité de Simone : je suis un peu fétichiste.

Je disais donc : Simone a craqué. Elle poussa un cri strident qui me perfora le tympan gauche. C'était une sorte de râle désespéré dont l'intensité traduisait toutes les frustrations trop longtemps accumulées. Sa réaction me pétrifia : tant de douleurs dans un seul sexe, pensai-je. Aussitôt Simone s'effondra en larmes sous le regard horrifié du rabbin avant de se ressaisir quelques secondes plus tard, mue par une force que certains appellent l'amour et que j'attribuerais plutôt à la peur de rester vieille fille qui est congénitale dans sa famille. Quoi qu'il en soit, elle plaida sa cause avec une fougue et une conviction que lui envieraient les ténors du barreau. Il y était question d'« horloge biologique », de « prolifération d'hormones » et de « désir de procréation », des termes techniques qui, espérait-elle, attendriraient le rabbin. Elle termina sa plaidoirie sur ces mots :

— Ainsi qu'il est écrit : croissez et multipliez-vous.

— Amen, répondit le rabbin.

Simone pleurait toujours sans se soucier de la pudeur qui sied si bien aux femmes.

— Je vous en prie, monsieur le rabbin, implora-t-elle en s'essuyant le visage avec la manche de sa robe.

Des poches noirâtres s'étaient formées sous ses yeux comme des ampoules gorgées de larmes que j'aurais voulu faire éclater. Tarir enfin cette source d'eau salée. Si Dieu compte les larmes des femmes, il doit haïr ce rabbin qui a tant fait couler celles de Simone.

Le rabbin afficha sa perplexité. Il caressa d'abord sa barbe rousse en raclant sa gorge. Puis il enroula quelques poils frisés autour de son index droit. Enfin, avec la paume de sa main gauche, il effectua de petits mouvements circulaires sur son crâne. Simone l'observait avec respect et crainte comme si Dieu lui-même rendait sa décision au jour du Jugement dernier. Son fichu lui barrait maintenant le front, accentuant la dureté de ses traits. Il pouvait glisser davantage et recouvrir ses yeux, Simone ne bougerait pas. Car elle savait, en cet instant, que sa destinée prenait tout son sens. Jamais elle n'avait ressenti avec une telle évidence la nécessité du mariage. Si le rabbin refusait de célébrer cette union, Simone serait condamnée à la solitude. Son corps s'assécherait. Chacun de ses orifices s'obstruerait. Son utérus deviendrait stérile. Sa bouche n'enfanterait aucun mot. Ses tympans ne seraient plus caressés par la voix d'un homme. Ses narines n'inhaleraient qu'un air sec. Seuls son anus et son méat urinaire rempliraient encore toutes leurs fonctions. Quel sens pourrait alors

avoir sa vie, réduite à sa dimension excrémentielle ?
Simone pensait qu'elle ne trouverait son paradis que
dans les liens sacrés du mariage, ainsi que le lui avait
enseigné sa mère, laquelle l'avait appris de sa mère
qui l'avait appris de sa mère depuis la nuit des Temps.
« Tu dois te marier, ma fille, ton horloge biologique
tourne ! », telle était la loi orale transmise par sa
mère. Et chaque jour, dans le regard des autres,
Simone ne voyait plus que les mouvements des
aiguilles de l'horloge maudite. Ainsi portée par la voix
maternelle qui grondait dans sa tête, Simone osa-t-elle
supplier une dernière fois le rabbin. Elle me désigna
en déclamant :

« Je dois épouser cet homme », et ajouta, pour
accentuer le caractère tragique de sa situation, que sa
requête était une question de vie ou de mort.

Le rabbin, qui ne voulait pas être poursuivi pour
provocation au suicide, répondit aussitôt que, compte
tenu de mon « grand » âge, il pourrait « peut-être »
envisager une procédure de conversion accélérée.

— Je suppose que vous savez lire l'hébreu.

— Non, mais je connais par cœur le *kaddish*. C'est
la seule prière dont un juif a besoin.

Le rabbin fit claquer ses doigts.

— Dans ce cas, je ne peux rien pour vous. Il vous
faudrait cinq ans d'études pour devenir juif et étant
donné votre âge, Dieu seul sait où vous serez dans
cinq ans !

Il m'enterrait sans même prendre la peine de vérifier l'état de mes artères ou l'éclat de mon cœur. Dans
cinq ans, moi, je m'imagine, une canne dans une
main, un enfant dans l'autre.

— Avez-vous pensé à ce que je deviendrai si je ne me marie pas ! hurla Simone en tendant son visage vers le rabbin afin de bien lui montrer les rides qui le craquelaient.

— Je suis désolé, vous ne pouvez pas épouser cet homme.

Simone le fustigea du regard.

— Avec l'aide de Dieu, vous en rencontrerez un autre.

Il se trompait. Simone avait fait des études : il y avait statistiquement plus de femmes que d'hommes. Un homme – juif – était devenu une denrée aussi rare que l'esturgeon, et il vous glissait entre les doigts avec la même agilité. L'homme juif : une espèce en voie d'extinction que Simone traquait depuis qu'elle avait treize ans.

— Non ! s'exclama Simone de sa voix nasillarde. Ce sera lui et pas un autre ! Je suis préménopausée ! Dans un an, peut-être moins, je ne pourrai plus devenir mère ! Quel homme voudrait d'une femme stérile ?

Simone avait prononcé ces mots d'une voix étranglée par les larmes. Depuis quelques semaines, j'avais remarqué qu'elle avait toujours chaud malgré le froid qui sévissait. Des bouffées de chaleur l'assaillaient, provoquant des poussées d'eczéma, et, en un instant, elle se déshabillait, ne gardant que le strict nécessaire, son tricot de peau et son jupon en nylon. J'avais pensé – naïvement – qu'elle me désirait trop. J'avais lu quelque part que les vierges pouvaient présenter ces symptômes. L'article préconisait de les mettre au lit. Ce que j'avais aussitôt proposé à Simone. Elle avait refusé : « Je veux rester vierge pour le mariage » ; cette femme a des principes moraux d'une grande rigueur. Pour la rassurer, je lui avais promis que personne n'en saurait rien. Et elle avait accepté. Rendez-vous fut pris chez un gynécologue, c'était la première fois. Quand elle était sortie du cabinet médical, son visage ruisselait de larmes : « Je suis en préménopause », criait-elle entre deux sanglots comme si elle annonçait qu'elle mourrait bientôt. Ce n'était pas le désir mais les hormones qui réchauffaient son corps. J'avais bien tenté de la calmer en la prenant dans mes bras. En vain : « Il ne me reste plus que quelques mois pour faire un enfant », m'avait-elle annoncé. Nous avions fait l'amour le jour même. Il n'y avait plus une minute à perdre.

— Ne comprenez-vous donc pas que ce mariage est d'utilité publique ! m'écriai-je devant le rabbin, interloqué.

Mais il ne voulut rien entendre.

— La Loi est la Loi, conclut-il en se levant de sa chaise.

Sous la pression de ses hormones, Simone lui adressa une dernière requête.

— Je souhaiterais m'entretenir un instant avec mon fiancé.

— Bien, murmura le rabbin en quittant la pièce.

Dès qu'il fut sorti, Simone se précipita vers moi.

— J'ai peut-être la solution à notre problème.

— Je t'écoute.

— Nous pouvons nous marier en Israël ; je crois que les rabbins y sont plus conciliants qu'en France. Nous n'avons qu'à partir et nous installer là-bas.

Sa solution à mon problème juif : la fuite à l'étranger ! Elle eut à peine fini sa phrase que le rabbin fit irruption dans la pièce. Simone rougit en le voyant. Elle attendit qu'il fût assis pour lui faire part de sa proposition. Il l'écouta avec attention, puis sourit béatement.

— Vous avez raison, au regard de la loi israélienne, cet homme est juif.

Simone lâcha un râle de soulagement. J'exultais : il existait enfin une loi qui me reconnaissait en tant que juif.

— Cependant, au regard de la Loi juive, il ne l'est pas.

J'étais abasourdi. Je me tournai vers Simone, espérant trouver dans son regard un signe de réconfort. Elle se contenta de balancer sa main en avant pour marquer notre séparation.

— Bien, l'affaire est close, reprit-il.

— Puisque cela m'est interdit, je ne t'épouserai pas, renchérit froidement Simone.

Tandis que je prône la liberté absolue, Simone n'est qu'interdits : six cent treize commandements à respecter scrupuleusement auxquels il faut rajouter ceux que sa morale impose.

Je suis libre « sauf à répondre des abus de ma liberté » auprès de Simone, juge suprême, qui traque les transgressions religieuses et sociales. Je la défie, je me détruis, là, sous ses yeux inertes. Nous nous regardons, le cœur noué, prisonniers de nos non-dits ; il lui suffirait de venir vers moi, de me parler. Mais elle ne bougera pas et elle ne dira rien. Car je suis un survivant.

Il y a entre Simone et moi
Entre ce rabbin et moi
Entre vous et moi

UNE TERRE SOMBRE, IMPRATICABLE, UN TERRAIN BOUEUX ET MINÉ, ENCERCLÉ PAR DES HOMMES-LOUPS, DES MONSTRES À VISAGE HUMAIN DONT LA HAINE VOUS SOUILLE COMME DES SEXES D'HOMME DANS DES CORPS D'ENFANT.

Je bondis de ma chaise. Le rabbin fit un pas en arrière.

— Je porterai plainte contre vous ! m'écriai-je.

— Et pour quel motif ?

— Je subis, du fait de votre exclusion, un préjudice moral très lourd à cause des six millions de morts qui ne sont plus de ma famille. À celui-ci s'ajoute une perte de chance : je suis condamné au célibat. Me voilà seul – ma fiancée ne veut plus m'épouser – et bien démuni : ma mémoire est éventrée. L'absence de compassion envers un vieillard rescapé des camps de concentration, le risque de me plonger dans une dépression qui pourrait me mener au suicide ainsi que le manquement à l'obligation d'aimer son prochain comme soi-même sont des circonstances aggravantes qui justifient le paiement de dommages et intérêts proportionnels au préjudice subi.

J'avais orchestré ma défense avec l'éloquence de mes débuts quand je n'étais qu'un jeune avocat – juif. Mais le rabbin, qui ne plaisantait pas avec la bénédiction divine, ne voulut rien savoir.

— Calmez-vous monsieur Weissmann, nous ne sommes pas dans un tribunal !

Puis, sur un ton qui s'était radouci, il ajouta :

— Je comprends votre souffrance, mais nul ne peut changer la Loi. En l'état actuel des choses, vous n'avez pas le droit d'épouser mademoiselle Dubuisson.

— Je vous rappelle que le droit au mariage est un droit individuel d'ordre public qui ne peut se limiter ni s'aliéner.

— Ne confondez pas tout, monsieur Weissmann, n'invoquez pas le Code civil quand je me réfère à un code religieux.

Le droit au mariage religieux, pensai-je, Dieu le limite, les hommes l'aliènent.

Un silence pesant s'instaura. Nous restâmes ainsi, pendant cinq longues minutes, murés dans notre mutisme. C'est alors que le rabbin me dit – pour me rassurer ou m'effrayer – que nous étions des milliers à vivre ainsi, le cœur partagé entre deux identités. Il ajouta même, sur un ton tragique, que, d'après ses prévisions, dans cinquante ans, peut-être moins, un juif sur deux ne serait plus tout à fait juif. Des femmes, des hommes, des enfants, dépossédés de leur identité ! Une tragédie qui engendrera des milliers de névroses ! J'osais à peine l'imaginer : les cabinets de psychiatres seraient envahis de juifs de toutes nationalités au bord de la crise de nerfs. Certains deviendraient hystériques, maniaco-dépressifs, schizophrènes, déments. D'autres se suicideraient. Un problème juridico-religieux qui deviendrait rapidement un problème de santé publique.

— Je ne peux rien faire pour vous, regretta le rabbin.

C'était un cas flagrant de non-assistance à personne en danger, pourtant Simone ne fit rien pour me venir en aide ; je n'étais plus juif, je ne l'intéressais plus : elle militait pour la survie de l'espèce. Sans même me dire au revoir, elle se leva de sa chaise et quitta la pièce. Ma Simone, échevelée, ruisselante de sueur et de larmes, se mit à courir à travers la synagogue, perchée sur des talons trop fins pour ses jambes gonflées d'œdèmes. Elle dévala les escaliers sans s'agripper à la rampe ; son pied dérapa sur le parquet glissant. J'entendis un bruit sourd comme un sac d'ordures jeté du haut d'un building. Son corps venait de s'échouer sur le marbre. Le contenu de son sac à main était éparpillé par terre. Pêle-mêle : une brosse à cheveux, un porte-monnaie, des mouchoirs usagés, un tube de rouge à lèvres, deux tickets de métro et l'acte de mariage religieux de ses parents, ce sésame de la judéité. Je me précipitai vers elle pour l'aider à se relever. Elle me repoussa violemment.

— Laisse-moi !

— Je dois te parler.

— Mais nous n'avons plus rien à nous dire !

Je n'étais plus juif. Toute communication était donc exclue.

— Comment peux-tu mettre en doute ma parole et croire ce rabbin plutôt que moi ?

— Il sait de quoi il parle, c'est son métier de savoir ces choses-là !

Je lui montrai le numéro tatoué sur mon poignet, je chantai par cœur la prière du shabbat que mon père m'avait apprise dans mon enfance et aussi le *kaddish* que je récitais sans discontinuer à Auschwitz. En vain. Le doute s'était déjà immiscé dans son esprit. C'est alors que j'eus l'idée de lui rafraîchir la mémoire en lui montrant mon sexe marqué du sceau de l'alliance divine, mais, au regard rempli d'effroi qu'elle me lança lorsque je commençai à défaire ma ceinture, je compris qu'il valait mieux laisser les choses à leur place.

— Tout est fini entre nous, lâcha-t-elle comme une sentence.

Et, sur ces mots, elle prit la fuite.

Je ne fis rien pour la retenir, il y avait bien longtemps que mes jambes n'étaient plus en phase avec mes émotions. Je marchai jusqu'à la sortie. Lorsque je poussai la lourde porte en bois, une pluie drue cingla mon visage. J'avais le choix entre sortir et prendre le risque d'attraper une pneumonie ou rester à l'intérieur de la synagogue. La rue me sembla plus accueillante. Des gouttes d'eau glissèrent sur mon pardessus, s'infiltrèrent dans les pores de ma peau. Je songeai au corps de Simone ; ses formes généreuses offertes à la vue de tous les passants ; ses fesses, ses jambes, ses seins, moulés par le tissu humide. C'en était fini. Finis aussi le pâté de foie aux oignons rissolés, les chaussons farcis à la viande, le caviar d'aubergine, le gâteau au fromage blanc, les galettes au pavot et au sésame, ces mille et un bonheurs gustatifs et olfactifs. Finis les massages de Nifluril sur mes genoux rongés par l'arthrose, les frictions d'eau de Cologne sur mon front. Finis les soins de pédicure que Simone prodiguait à mes pieds usés. En perdant

Simone, je perdais tout : une épouse, une maîtresse, une aide ménagère. J'avais besoin d'une femme engagée par ses devoirs matrimoniaux : assistance sept jours sur sept et vingt-quatre heures sur vingt-quatre sans interruption. Une femme qui serait une mère pour moi. Comprenez-moi : je n'avais pas les moyens de m'offrir les services d'une dame de compagnie (un terme bien élégant pour désigner celle qui nettoie vos excréments et lave vos parties génitales). Simone remplissait toutes les conditions requises. Son physique était le plus éloquent des curriculum vitæ : des mains épaisses accrochées à des bras robustes. Et – surtout – elle était riche.

Ah l'argent ! l'argent ! la grande affaire de ma vie ! J'étais obsédé par l'argent ; j'y pensais jour et nuit : mon compte était toujours débiteur. Connaissez-vous seulement le salaire d'un homme qui tire les ficelles ? À cette époque, j'étais fiché à la Banque de France ; je ne détournais pourtant que mes propres fonds à mon profit. Quand ma banquière me téléphona pour m'annoncer que mon compte bancaire était bloqué, j'avais d'abord pensé que l'état de guerre était de nouveau décrété contre les juifs. J'avais fustigé mon interlocutrice en lui reprochant ses méthodes discriminatoires, mais pour toute réponse, elle avait répété froidement que mon compte était toujours débiteur de vingt mille francs malgré les multiples lettres recommandées qu'elle m'avait envoyées. « Quel mal y a-t-il à ça ? avais-je rétorqué. Quitte à être spolié, autant que ce soit par soi-même ! » Mais la banquière – une antisémite, selon toute logique – avait raccroché sans même me dire au revoir. On ne prête qu'aux riches !

Épouser Simone était donc un acte vital. Et pourtant, si vous connaissiez les exigences de cette femme ! Elle ne parlait que de « profiter de la vie » quand moi je voulais simplement vivre. Elle n'exprimait que des désirs d'ordre matériel : voyager, dîner dans des restaurants luxueux, acheter des vêtements de marque. Il faut être fou pour payer des centaines de francs dans le seul dessein d'acquérir des objets qui portent le nom d'un autre. Simone était passionnée par la mode. Elle courait les grands couturiers de la rue d'Aboukir, s'achetait des chaussures à cent cinquante francs la paire et gaspillait ses derniers billets chez les Chinois du 11e arrondissement. Elle ne connaissait pas le troc. Certains jours, j'en venais à me demander si une garde-malade ne serait pas plus économique, mais j'apaisais mes craintes en me disant qu'une fois marié je profiterais moi aussi de sa prodigalité. J'étais prêt à tout pour l'épouser.

Je pris le métro jusqu'à la station Père-Lachaise – il pleuvait toujours – et je marchai jusqu'à l'appartement de ses parents, situé face au cimetière. J'étais sûr qu'ils parviendraient à influencer leur fille : en n'étant plus juif, je n'en étais pas moins homme. Je frappai trois fois à leur porte. J'imaginais Simone, vêtue de sa robe de chambre vert émeraude qui soulignait son large postérieur, les cheveux coincés dans un filet. Ce ne fut pourtant pas elle qui me répondit.

— Qui est là ? tonna la voix de son père.

Cet homme avait toujours fait preuve à mon égard d'une grande – excessive – amabilité. À soixante-sept ans, il voulait vieillir en paix, ce qui impliquait d'avoir marié sa fille. La différence d'âge entre Simone et moi – presque trente ans – ne l'avait nullement contrarié, pas plus que mon absence de revenus. « Je veux que ma fille soit heureuse ! » répétait-il souvent. Aussi fallait-il la marier. « Ah le mariage ! cette porte ouverte sur le bonheur ! » s'exclamait Simone. Je ne la contredisais jamais, l'argent de son père suffisait à me bâillonner les lèvres. Mais je savais. Le mariage putréfierait notre union comme la chaleur sur des fruits mûrs. L'amour ne peut pas s'épanouir dans un cadre légal. Il lui faut des interdits à transgresser, des obstacles à braver. L'amour est un délinquant, les femmes ne pensent qu'à l'emprisonner.

J'avais déjà été marié. Mina Conti. Je l'avais rencontrée à New York vers la fin des années 40. Au lendemain de la guerre, j'avais choisi de m'installer aux États-Unis parce que je ne parlais pas un mot d'anglais ; ainsi je n'aurais pas à raconter l'indicible. Je vécus deux ans au sein d'une famille juive new-yorkaise, propriétaire d'un restaurant situé à Brooklyn. J'exerçai successivement les fonctions de balayeur, plongeur, voiturier, serveur, au sein de leur établissement. « Ce ne sont pas des métiers pour un juif », constatait avec dépit mon patron, Monsieur Grosberg – Dieu ait son âme ! –, lorsqu'il me croisait dans les cuisines ou sur le perron de son restaurant. Moi, je ne me plaignais pas : je mangeais à ma faim, je dormais dans un vrai lit, la vie de château, en tout point pareille à celle que je menais avant la guerre, l'insouciance et ma famille en moins. C'est ce bon Monsieur Grosberg qui a eu l'idée de me former au métier de marionnettiste : « Les juifs savent mieux que personne tirer les ficelles », argumentait-il. Simone pense qu'après la guerre j'aurais mieux fait d'être avocat : « Avec tous ces droits à défendre, tu aurais pu être millionnaire », regrette-t-elle. Moi, les millions, je ne sais les compter qu'en termes de morts. Et surtout, j'étais revenu d'Auschwitz avec la certitude que le droit ne menait à rien. J'acceptai la proposition de Monsieur Grosberg. Après trois semaines de formation, je maniais mes marionnettes avec une extraordinaire dextérité.

Je n'aurais jamais osé imaginer qu'un jour je deviendrais artiste. C'était le rêve de ma mère. Dès mon plus jeune âge, elle me faisait apprendre par cœur des tirades extraites de pièces de ses auteurs favoris : Shakespeare, Molière, Corneille. « Tu seras artiste, mon fils », me serinait-elle, alors qu'il est déjà si difficile d'être soi-même.

Je me décidai finalement à apprendre l'anglais en lisant *la Gazette des survivants de la Shoah* tous les jours, pendant cinq mois. Quand je fus enfin capable de parler correctement, Monsieur Grosberg me demanda de choisir un nom de scène. Je lui répliquai que je souhaitais conserver mon patronyme. « Trop juif ! » conclut-il. Et c'est ainsi qu'il me nomma John Smith avant de me présenter à sa clientèle. Une fois par semaine, j'organisais un spectacle féroce et drôle ; il y était souvent question de Dieu et des hommes, un thème qui me permettait de brasser une clientèle hétéroclite. Mes marionnettes singeaient le monde.

Les clients du restaurant riaient à gorge déployée. La salle ne désemplissait pas. À la fin de chaque représentation, je saluais le public, mes marionnettes encore accrochées à mes mains.

J'existais.

Il fallait voir ces belles Américaines hurler mon nom et m'applaudir à tout rompre. « John ! John ! » s'égosillaient-elles, et ma mémoire devenait légère comme les cendres. Certaines m'attendaient même à la sortie du restaurant pour me demander un autographe ou d'autres choses que ma pudeur m'interdit de dévoiler. Mais je m'égare quand je parle du succès que j'ai connu à New York grâce à mon humour juif – un humour que les nazis n'avaient même pas remarqué alors qu'il était aussi visible que mon nez bosselé ou que mon sexe circoncis.

C'est à la sortie du restaurant de Monsieur Grosberg que j'ai rencontré ma première femme, Mina, une superbe Italienne de vingt ans.

Ses cheveux roux flottaient sur ses épaules.

Ses yeux riaient.

Son corps se balançait.

J'y pense souvent quand je serre Simone contre moi.

Ses cheveux grisâtres frottent son cou.

Ses yeux larmoient.

Son corps se traîne.

Je ne fais aucune comparaison. A-t-on idée de comparer une naissance à un deuil ?

Ah Mina ! un corps plongé dans la peinture. Des yeux charbonneux, des joues d'un rose vermillon, un

42

teint ivoire, le tout rehaussé d'une touche de maquillage : terre de Sienne sur le corps, poudre mauve sur les paupières, rouge violacé sur les lèvres.

Mina, je n'avais qu'un désir : mélanger ses couleurs avec mes doigts ; le rouge de sa bouche sur l'ocre de ses seins, le rose de ses joues et l'or de ses pieds. Et aussi : m'enivrer de son parfum sucré ; contempler le velouté de sa peau ; lécher ses lèvres avec ma langue. Ce corps offrait tellement de possibilités ! Mille combinaisons susceptibles de me faire jouir : caresser, embrasser, sentir, prendre, sucer, abandonner, abuser, accueillir, adorer, voyager, agenouiller, allonger, déshabiller, mordiller, troubler, allumer, baiser, bercer, visiter, croquer, découvrir, dégrafer, défaire, retirer, baisser, désirer, crier, murmurer, pénétrer, fouiller, parfumer, régaler, profiter, sourire, surprendre. Posséder. Cette femme était un terrain de jeux érotiques – oui, jusqu'à ce que je l'épouse contre l'avis de Monsieur Grosberg ; qu'il soit béni entre tous les hommes ! « Ne te marie jamais, Saül ! me recommanda-t-il le jour où je lui confiai mon désir d'épouser Mina, car le mariage redistribue les rôles. Ta femme devient ta mère, s'inquiétant de savoir si tu as noué ton écharpe autour de ton cou, si tu as bien pris tes médicaments, si tu n'as plus ces maux d'estomac qui rongeaient tes intestins la veille. En te mariant, tu acceptes d'être tiraillé entre deux mères qui se disputent ton amour, et tu n'as plus qu'une chose à faire : retrouver dans les bras d'une nouvelle femme le parfum de ton amour brûlé. »

Monsieur Grosberg connaissait son sujet. Il était marié depuis quarante ans à une horrible matrone à moustaches, toujours vêtue d'un tablier de cuisine taché de graisse et de sang. Elle le surveillait, le soupçonnant de la tromper avec les serveuses du restaurant. Monsieur Grosberg avait une prédilection pour le petit personnel qu'il comblait de ses bienfaits. Il avait compris bien avant l'heure qu'on ne doit jamais harceler sexuellement ses employées ; il suffit de leur demander gentiment tendresse et réconfort. Aucun de nous n'osait émettre la moindre critique : en supportant quotidiennement sa femme, cet homme n'expiait-il pas ses péchés ? Il me confia qu'elle avait jadis été élue Miss Brooklyn. Je ne le crus pas lorsqu'il me la décrivit à dix-sept ans : « Grande et tellement fine, un minois d'enfant parsemé de taches de son, des cheveux soyeux qui lui caressaient les reins et un corps de femme qu'il me suffisait de frôler pour être en émoi. » Il me montra une photo d'elle : elle ressemblait trait pour trait à Brigitte Bardot jeune. Il m'était difficile d'admettre que celle que nous appelions la « grosse Grosberg », parce que son postérieur se coinçait souvent entre les tables du restaurant, et la fille de la photo étaient la même femme. « Ne te marie pas ! » me répétait Grosberg. C'était un homme d'une grande sagesse. Mais je ne l'ai pas écouté. J'ai épousé Mina. Et après quelques mois de vie commune, elle m'aimait comme son propre fils. C'est ce qu'on appelle l'instinct maternel. Le jour où j'ai enfin compris qu'elle était devenue une maîtresse de maison, j'ai pris des maîtresses. Dans ma maison, oui, dans mon lit. Mina pleurait, elle ne savait rien faire d'autre – trop, pleure-t-on jamais assez pour garder l'amour d'un homme ? – et assistait à un défilé permanent de femmes, c'était une épouse généreuse. Elles se succédaient entre minuit et 4 heures du matin : petites Asiatiques soumises, Africaines volcaniques, Sud-Américaines brûlantes, Espagnoles expertes, Françaises farouches, Norvégiennes décomplexées, Russes perverses, Australiennes sauvages. Toutes, je les acceptais toutes, sans distinction de race, de couleur, de langue, de religion, d'opinion politique, de fortune, de naissance ou de toute autre situation. J'apportais ainsi une maigre contribution à la lutte contre le racisme. Dans mon lit, les femmes étaient libres et égales en droits. J'appliquais déjà, à ma manière, la Déclaration universelle des droits de l'homme. Je voyageais, tel Baudelaire, dans la chevelure d'une métisse à la peau sucrée, je visitais l'Asie en caressant les seins trop pâles d'une Chinoise. J'explorais des terres inconnues, riches et humides. En m'ouvrant leur sexe, ces femmes m'offraient leur culture. Je les pénétrais comme on visite un nouveau pays.

Simone ne sait rien de mes années de militant. Elle ne saisirait pas l'intérêt de mes expérimentations pas plus qu'elle n'accepterait l'idée que j'aie pu avoir été marié à une autre. Simone est très jalouse, vous connaissez les femmes, elles ne pensent qu'à nous posséder, nous ne voulons appartenir à personne, pas même à nos mères. Que de fois ai-je été obligé de détourner mon regard dans la rue pour ne pas avoir à subir ses remarques ! « Qu'est-ce que tu regardes encore ? » me demandait-elle sur un ton menaçant tandis que mes yeux se posaient sur les fesses d'une jolie blonde. « Rien, Simone, je te le jure. » Elle écoutait mes appels, contrôlait mes allées et venues. Le pire, pensait-elle, serait qu'une femme parvienne à me séduire. Non : le pire serait que je ne sois pas juif.

— Partez ! Je ne veux plus vous voir ici, hurla le père de Simone lorsqu'il reconnut ma voix derrière la porte.

La veille, cet homme m'accueillait comme son propre frère.

Je n'insistai pas – non par dignité, j'avais mal aux jambes – et j'appelai un taxi. Il me déposa chez moi dans mon quartier *juif*. Dès que je fus dehors, des effluves de thé à la menthe et des parfums d'épices m'enveloppèrent. La rue des Rosiers ouvrait ses portes à une foule bigarrée et bruyante. Quelques passants se bousculaient sur les trottoirs trop étroits tandis que d'autres déambulaient avec nonchalance sur la chaussée sans prêter attention aux automobilistes qui klaxonnaient. Sur ma route, je croisai le marchand de *falafels*, la libraire, le vendeur de journaux, le clarinettiste : tous me saluèrent avec chaleur. Un jeune homme tout de noir vêtu me proposa même de me poser les phylactères. *Comme d'habitude.* Ils n'avaient donc rien remarqué. Juif parmi les autres. Un imposteur. Je m'étais trompé sur moi-même, je trompais les autres. Et eux : que savais-je d'eux ? Leur nom ? Supercherie ! Leur physique ? Apparences ! Autour de moi des enfants jouaient, un couple s'embrassait sous un porche, une femme entre deux âges faisait la queue devant une boucherie cashère : étaient-ils juifs ? Les propos du rabbin

46

résonnaient dans ma tête comme une litanie : « Des preuves, il me faut des preuves ! » Et l'opticien de la rue du Trésor qui arbore son nom en lettres lumineuses sur la devanture de sa boutique : cet homme s'appelle Lucien Vile, qui n'est autre que l'anagramme de Lévi. Est-il juif ? Comment savoir depuis que le port de l'étoile jaune n'est plus obligatoire ! Ah ! la belle époque où je démasquais à tous les coins de rue de nouveaux juifs ! Je n'en croyais pas mes yeux : la jolie couturière de la rue de Passy était donc juive ! Le pianiste qui jouait tous les soirs dans le cabaret d'en bas : juif ! Et aussi l'épicier de la rue Oberkampf, la coiffeuse de l'avenue Daumesnil, le médecin de la rue de Lille ! Tous juifs ! Ce jour-là, ma famille s'était considérablement agrandie. Et voilà qu'un rabbin plus rigide qu'un fonctionnaire m'en excluait ! Non ! Non ! Non ! Pendant soixante-dix ans, j'avais subi le poids de ma judéité, comment pouvait-il détruire ma vie en invoquant ma non-judéité ? Moi, je voulais être juif !

Laissez-moi me décrire : mon nez est long et busqué, mes lèvres sont épaisses et bombées. Et mon âme, cette vieille âme meurtrie entaillée çà et là, cette âme agonisante dans ce corps encore ferme, écoutez-la gémir. Ma vie est une veillée funèbre. Certains jours, je voudrais être ce défunt qui reçoit les prières et non plus ce vivant qui les récite. Mort, j'aurai des privilèges ; vivant, je n'ai que des devoirs. Devoir de se souvenir. Devoir de témoigner. Devoir de parler. Et devoir de vivre. Assez ! Me débarrasser de moi. Dehors ! Par ici la sortie ! À gauche à droite plus bas oui jetez-moi là – plus vite – dans la fosse il pleut la terre est fraîche ainsi que la préfèrent les vers là oui sur les autres quelle importance un sale juif qu'il crève ! là oui parmi les miens – crève ! – entre le corps démembré d'un enfant et celui d'une femme enceinte – le bébé respire-t-il encore je le sens il bouge dans le ventre de sa mère morte entend-il oui il bouge il donne des petits coups dans le ventre de sa mère – juive – morte aux yeux ouverts ne les fermez pas ils voient ce que son enfant ne verra pas il mourra dans le ventre écrasé par les corps entassés les uns sur les autres imbriqués les uns dans les autres oui débarrassez-vous de moi là juif parmi les autres on ne me demandera rien que de mourir. C'est ce que je fais de mieux.

Et je suis rentré chez moi. Lové dans une couverture en mohair, mon chat sursauta en apercevant ma silhouette dans le couloir. Il ne vint pas se frotter contre mes jambes comme il avait l'habitude de le faire. Je l'appelai à plusieurs reprises, il ne bougea pas de son fauteuil, enroulé sur lui-même en position fœtale. La langue pendante, le poil hérissé, il m'observait avec méfiance. Je me sentais las. En une journée, j'avais tout perdu : mon identité et la femme que je devais épouser. Je m'allongeai sur mon lit tout habillé, ne prenant même pas le soin d'ôter mes chaussures. Je ne tirai pas les rideaux, ne rangeai pas mes affaires : le sommeil me happa. Je dormis jusqu'à la tombée de la nuit, six heures d'affilée, et quand je me réveillai, j'étais déjà un autre. Je ne remarquai pas tout de suite les changements qui s'étaient opérés pendant mon sommeil. Je me souviens seulement que ma tête était lourde. On eût dit qu'un casque en plâtre avait été façonné sur mon crâne et que mes orifices nasaux et buccaux avaient été plombés. Un goût âcre emplissait ma bouche. Ma langue baignait dans une salive abondante et amère, pourtant je n'avais ni bu ni mangé. Aucune plaie ne rongeait mes muqueuses. Mon chat, de nature joviale, tournait autour de moi comme un fauve, lentement d'abord, puis de plus en plus vite. Il miaulait, crachait, montrait les dents tout en posant sur moi ses yeux exorbités. Il se contorsionnait dans tous les sens, balançant ses pattes de devant vers l'arrière. Je tendis mes doigts vers lui. Pour toute réponse, il bondit sur moi et enfonça ses crocs entre la paume de ma main et mon poignet, là où la peau est si fine qu'elle laisse transparaître les veines, là où une lame de rasoir suffit à vous ôter la vie. Le sang gicla sur ma chemise et sur la moquette. Je poussai un cri de douleur, vociférai contre cet animal que j'avais adopté à la SPA par amour pour Brigitte Bardot après que la femme qui partageait alors ma vie m'eut quitté. Je me sentais désemparé : c'était la première fois qu'il m'agressait ; jamais il n'avait eu le moindre geste antisémite à mon égard. Il se cacha derrière un meuble.

— Viens ici ! hurlai-je.

Il obéit. Il s'approcha de mon bras. Sa langue râpeuse lécha ma plaie. Le goût de mon sang l'apaisa : il me reconnaissait. Aussitôt son corps se rétracta. Un filet de sang coula le long de mon bras et tacha son pelage. Je pris un mouchoir en papier pour arrêter l'hémorragie. Je pansais mon poignet quand soudain, je fus pris d'une irrépressible et fulgurante envie d'uriner et, à mon âge, c'est une envie qu'il faut assouvir sur-le-champ. Je me précipitai dans les toilettes en tirant de toutes mes forces sur ma braguette qui s'était coincée. Je tirai de haut en bas, de bas en haut, et au moment où je parvins enfin à la décoincer et à sortir mon sexe, un cri d'effroi jaillit du plus profond de moi-même. Je ne reconnaissais plus mon sexe. Penché au-dessus de la cuvette, je découvrais, horrifié, qu'il avait été mutilé. La peau qui le recouvrait comme le placenta protège le fœtus avait été découpée à la lame de rasoir. Mon sexe m'apparaissait circoncis pour la première fois. Il n'était ni entaillé ni bandé. Aucune trace de sang. Rien qu'un sexe juif planté dans le bassin d'un homme qui ne l'était plus. J'étais tétanisé par l'angoisse, la honte. Le dégoût aussi.

Je saisis mon sexe du bout des doigts et l'observai longuement. Il n'était plus qu'un corps étranger. L'alliance divine avait été rompue.

« Crise identitaire » : ce fut le diagnostic rendu par mon médecin généraliste après consultation. J'avais pris rendez-vous suite aux malaises répétés qui me faisaient vaciller lorsque je voyais mon sexe. J'évitais les toilettes, la salle de bains, ma chambre à coucher, ces lieux de nudité où je risquais d'apercevoir mon sexe mutilé. J'essayais de me retenir d'uriner : en vain. Ma prostate hypertrophiée appuyait si fortement sur ma vessie qu'il ne me restait qu'une issue : traîner mon corps jusqu'aux toilettes – souvent trop tard. À l'humiliation succédait l'effroi ; lorsque, enfin, je saisissais mon sexe moite, je ne pouvais contenir les cris qui s'échappaient par à-coups de ma bouche, et, passé soixante-dix ans, chaque hurlement attise la mort. Au terme d'âpres négociations avec moi-même, je parvenais à me calmer, mais la désagréable impression de porter le sexe d'un autre ne me quittait pas. Pourtant, après m'avoir examiné consciencieusement, mon médecin ne décela rien d'anormal.

— Votre sexe n'a subi aucune lésion récente, conclut-il en désignant mon gland indemne de toute cicatrice, ce qui eut pour effet d'accélérer mon pouls déjà bien malmené.

— Dans ce cas, comment expliquez-vous cette angoisse qui m'étreint lorsque je le vois ?

— Cette angoisse est d'ordre psychique. Vous traversez une crise identitaire, le genre de crise qui survient généralement à l'adolescence, m'expliqua-t-il, avant d'ajouter : La puberté est une phase critique : les jeunes se posent des questions : qui suis-je ? Où vais-je ?

— À mon âge, on sait qui l'on est et où l'on va.

Le médecin me lança un regard perplexe.

— Rhabillez-vous !

Je saisis mon slip et mon pantalon. Lorsque je remontai ma braguette, un frisson me parcourut le corps.

— Voilà, dit le médecin en me tendant une ordonnance sur laquelle il avait noté des mots étranges : Lexomil, Tranxène, Prozac. Il faut que vous consultiez un psychiatre de toute urgence, ajouta-t-il en posant une carte de visite au nom d'un de ses confrères sur son bureau. Lui seul pourra vous aider.

Un psychiatre, quelle drôle d'idée ! Que pourrait-il m'apprendre sur moi-même que je ne savais déjà ? Quel genre de maux décèlerait-il ? Mes névroses ? Je les cultivais. Mes angoisses ? Elles me stimulaient. Non, je ne voulais pas qu'un psychiatre déterre mes morts. Que personne n'y touche ! Je me contentai donc d'acheter les médicaments que mon médecin m'avait prescrits. Des pilules blanches, vertes, roses qui ressemblaient à des bonbons fourrés au chocolat et aux fruits. J'agis comme un enfant : je les croquai. Toutes.

Je me suis réveillé dans une chambre inondée de lumière, le corps enroulé dans des draps blancs sur lesquels était brodée la mention « assistance publique » : exactement ce dont j'avais besoin. Mon premier réflexe fut de vérifier que j'étais bien valide. Je bougeais mes membres, dodelinais de la tête sans aucune difficulté. Toutefois, je ne pouvais pas me lever, une aiguille reliée à un cathéter était plantée dans l'une des veines de mon bras gauche. Je tentai de me rappeler les événements qui m'avaient mené jusqu'ici, dans ce lit inconfortable. Je fouillai ma mémoire, en quête d'un indice qui me révélerait quelques bribes de ma vie. En vain : je ne me souvenais plus de rien. Ni de mon nom, ni de mon passé. Pourquoi me retrouvais-je à l'hôpital ? De quel mal souffrais-je ? J'observai les vêtements que je portais – un pantalon en toile noire et une chemise blanche –, et, malgré tous mes efforts mentaux, je ne parvins pas à établir leur appartenance. J'appuyai sur la sonnette qui était accrochée à mon lit. Deux minutes plus tard, une infirmière surgit dans ma chambre. C'était une jolie blonde élancée. Elle portait autour du cou une grande croix incrustée de strass multicolores : cet objet qui symbolise le martyre du Christ était devenu un accessoire de mode. Elle s'approcha de mon lit et lut la fiche qui y avait été accrochée.

— Ah ! monsieur Weissmann ! s'exclama-t-elle.

En prononçant mon nom, elle avait réactivé ma mémoire.

Et ma vie se déroula comme un rouleau sacré.

— Avez-vous bien dormi ? me demanda l'infirmière.

Je ne dors plus depuis cinquante ans. Ne voyait-elle pas les cernes sous mes yeux ? Ne discernait-elle pas les ombres qui voilaient mon âme ? Non, elle venait juste constater que je n'étais pas mort pendant la nuit : elle faisait son métier. Tandis qu'elle soulevait mon drap et procédait à quelques examens d'usage, je l'observais : elle avait maquillé sa bouche en rouge, ses yeux en noir et noué ses cheveux en queue de cheval. Elle s'approcha de moi, je sentis le frottement de sa croix contre mon visage, je respirai son parfum. Je la laissai prendre ma tension dans l'espoir que sa main déviât. Je retins mon souffle quand ses seins frôlèrent mon bras. Son corps n'était qu'à quelques centimètres du mien.

— Baissez votre pantalon ! m'ordonna-t-elle.

Je m'exécutai et fermai les yeux.

— Vous voulez que je le fasse ? demanda-t-elle.

Je lâchai un « oui » inaudible. Mais ce ne fut pas sa main qui frôla mon sexe, non, juste une cuvette en plastique bleu. Je préférai le faire moi-même.

— À plus tard, dit-elle.

Et, sur ces mots, elle quitta la pièce.

Je m'assis sur le rebord de mon lit. En me relevant, je sentis une vive douleur au niveau du pli de mon bras ; l'aiguille s'enfonçait dans ma chair. Je me plaçai dos à la porte et laissai pendre mon sexe au-dessus de la cuvette. À l'instant précis où le liquide jaunâtre jaillit, la cuvette glissa de mes mains. J'entendis un bruit sourd. Ma tête venait de cogner le sol.

Dès que je retrouvai mes esprits, je me regardai dans un miroir. Une bosse déformait mon front ; des hématomes étaient apparus sur mes tempes comme des nappes de sang séché. J'eus envie de hurler en me voyant ainsi tuméfié, pourtant je me tus. Car je n'étais pas seul. Quand avait-il apporté ses affaires ? Je ne saurais le dire. Il s'était installé sans faire de bruit. Il faisait preuve d'une grande discrétion, parlait peu, uniquement à lui-même. Il m'épiait, insidieusement d'abord puisqu'il se contentait d'observer mon sexe avec une fascination malsaine comme si mon corps était amputé ou affligé d'une tare. J'entendais ses commentaires presque insultants – si j'en avais eu la capacité matérielle, je l'aurais giflé. Oh ! pas trop violemment, juste un soufflet, pour lui faire comprendre que j'étais maître en ma demeure. Il haussa le ton, se mit à crier : il se sentait chez lui chez moi. Je ne répliquai pas : je n'ai jamais supporté les conflits intérieurs. Enfin il m'insulta. Cela ressemblait à des injures antisémites. Je pris peur. Comment porter plainte pour diffamation et injures raciales contre soi-même ? Car en m'annonçant que je n'étais pas juif, le rabbin ne se doutait pas qu'il permettrait à un étranger de pénétrer clandestinement chez moi. Un étranger avec sa culture, ses mœurs, ses origines ! Un parasite qui avait trouvé asile dans mon corps et qui ne se souciait nullement des us et coutumes de la maison ! Il avait emménagé sans prévenir : il y avait dorénavant de la place pour deux. Comment aurais-je pu imaginer que je serais un jour obligé de recueillir un non-juif chez moi, qu'il me faudrait apprendre à le connaître et à vivre avec lui dans un espace aussi réduit – avec l'âge, le corps se tasse ? Comment concilier cette nouvelle personnalité avec celle du juif qui avait pris ses aises depuis soixante-dix ans ? J'avais beau me répéter « Tu aimeras l'étranger » trente-six fois, ainsi que l'énonce la Bible, je ne parvenais pas à supporter la nouvelle avec philosophie. Quant au verset : « Tu aimeras ton prochain comme toi-même », l'invoquer eût équivalu à lui déclarer la guerre à cause de la haine de soi, maladie juive qui s'était déclarée peu après ma rupture avec Simone.

Je devais apprendre à vivre avec ce double issu de la négation de ma judéité. Lui parler. Le comprendre.

Comme ils étaient différents !

L'un crachait sa rancœur quand l'autre taisait ses remords.

Ils me malmenaient le jour, me martyrisaient la nuit.

Dès le matin, ils se querellaient. Il fallait les entendre ces deux diables se juger l'un l'autre. Ils me persécutaient, complotaient contre moi. Le juif surtout. Quand l'Autre dormait paisiblement, il m'imposait ses terreurs nocturnes. Il gémissait, criait, me torturait. Il me dévoilait ses plaies, purulentes, scarifiées.

Et il parlait sans jamais s'arrêter : il devait témoigner, dire, raconter. Je l'implorais de se taire. Je n'aspirais qu'à dormir d'un sommeil de nourrisson bercé de doux rêves : la succion d'un sein gorgé de lait, la caresse d'une main sur les plis de mon ventre, la pression de mon corps nu contre une peau tendre et fraîche. Désir d'enfance à l'aube de ma mort. L'insouciance : connaissait-il seulement la signification de ce mot ? Il s'acharnait. Il s'exprimerait jusqu'à ce que j'en crève ; il n'avait aucune pitié pour les vivants, il ne respectait que les morts. Il jetait du sang sur ma mémoire comme de l'eau bouillante sur la peau d'un nouveau-né. Je criais : « Je brûle ! » L'odeur âcre des cendres remontait jusqu'à moi. Il enfonçait ma tête dans des charniers. « J'étouffe ! » Un étau m'enserrait la gorge. Il me maintenait au milieu des cadavres putréfiés. Corps écartelés, visages tuméfiés, membres arrachés, crânes défoncés. « Souviens-toi ! » m'ordonnait-il. « Souviens-toi ! » « Qu'il se taise ! » J'avais sommeil. Mes paupières s'affaissaient. Mon corps s'engourdissait. Il m'empoignait, me secouait : « Souviens-toi ! » Ses paroles m'entaillaient. Je ne voulais pas me souvenir. Pas ce soir-là. Oublions ! Oui oublions ! « Souviens-toi ! » répétait-il. « Qu'on le bâillonne ! Qu'on m'exorcise ! » Je voulais dormir. Rêver. C'était impossible. Le voilà qui grattait mes blessures avec ses dents ; il me mordait, me rongeait, me dévorait. Ma mémoire était à vif. Des fragments d'images se détachaient. J'entendais des cris. Des milliers de paires d'yeux étaient fixées sur moi. Dans chaque regard : la peur. « Souviens-toi ! » semblaient-ils me dire. Et je hurlais. L'autre se réveillait : « Laisse-le dormir en paix », murmurait-il. Ils en venaient aux mots. Je m'endormais enfin.

Au réveil, le cauchemar continuait. Le juif devait respecter six cent treize commandements quand le non-juif n'en appliquait que dix. Des obligations envers Dieu, envers son prochain, envers lui-même : Assez ! Des devoirs pour le juif, élève appliqué, jugé par les hommes, noté par Dieu. *Peut mieux faire*. Commandements positifs et négatifs. Obligation d'aimer. Etranger aux autres et à lui-même.

J'instruisais à charge et à décharge. Je parlais tantôt au nom de l'un, tantôt au nom de l'autre : j'étais incapable de trancher en faveur de l'un d'eux. Et je ne pouvais demander à personne de venir chez moi, il y avait trop de désordre dans ma tête, les femmes de ménage coûtaient cher et les psychiatres refusaient d'effectuer les basses tâches. Il fallait que je me résigne à ranger moi-même.

Si je m'étais converti au judaïsme comme l'avait préconisé le rabbin, le non-juif se serait senti exclu. Il serait devenu antisémite. Dieu seul sait ce qu'il aurait été encore capable de faire !

Je n'avais pas d'autre choix que de faire preuve de psychologie, moi qui ne comprenais rien à la nature humaine. Le plus souvent, j'allumais le téléviseur, je montais le son au maximum afin de ne pas les entendre, mais le juif était bruyant : quand il criait, six millions de morts hurlaient avec lui.

Je plaidais en faveur de la réconciliation, mon âme était déchirée.

Enfin l'accalmie quand l'infirmière-en-blouse-blanche-avec-rien-en-dessous entrait dans ma chambre. Je voulais lui dire de rester, là, près de moi, sur mon lit. Me servir de son corps comme d'une couverture. Ne plus me découvrir. Et laisser la température monter. Car lorsqu'elle était à mon côté, mes deux colocataires s'apaisaient. Ils se taisaient. Tout à coup, ils partageaient le même désir. Plus de reproches ni d'injures. Silence. Ils rêvaient ensemble de prendre cette femme, faire sauter un par un les boutons de sa blouse, la saisir par la taille, plonger leurs visages dans son ventre, caresser sa peau, sucer les lobes de ses oreilles, glisser leurs langues dans sa bouche. Ils se comprenaient à demi-mot. Elle se rapprochait pour ajuster mon coussin ; je sentais la pression de ses doigts. Le calme régnait dans ma tête. Je n'entendais plus un bruit, plus un cri. Sa main glissait sous le drap glacé. Je pensais : « Qu'elle la laisse vagabonder sur mon corps ! Qu'elle saisisse mon sexe ! Je ne lui opposerai aucune résistance. Je rendrai les armes – amertume, rancune, angoisse –, je les déposerai aux commissures de ses lèvres. » Mais l'infirmière retirait sa main sans même avoir effleuré ma peau : elle rejetait totalement le concept de l'amour collectif. Sa blouse restait fermée. Et les loups continuaient de hurler.

Des femmes, il y en avait plein à l'hôpital. Les unes plus dévouées que les autres, drôles et compatissantes. Sexy en diable, moulées dans leurs petites blouses propres et repassées avec soin. Dès qu'elles entraient dans ma chambre, je me sentais apaisé. Elles me parlaient, leur haleine était vivifiante. Elles s'enquéraient de mon état de santé. À 7 heures du matin, j'étais réveillé par la voix rocailleuse de Mouna ; j'ouvrais un œil : elle se dressait fièrement devant moi avec sa couronne de tresses noires sur la tête. Sa peau avait la couleur du chocolat amer et le parfum du chocolat au lait, comment aurais-je pu résister, j'ai toujours eu un penchant pour les gourmandises. Je l'observais tandis qu'elle tirait les rideaux avec grâce. Je l'écoutais commenter le temps qu'il faisait dehors alors que je n'avais pas le droit de sortir. Elle m'apportait mon petit déjeuner au lit : café chaud, pain, beurre, yaourt et jus d'orange. Elle préparait mes tartines en me racontant les nouveaux rebondissements qui dramatisaient davantage sa vie : son mari avait pris une nouvelle femme – c'était la cinquième –, son fils aîné était incarcéré pour trafic de drogue, sa fille cadette, qui avait été violée dans leur cité HLM, était enceinte ; elle-même venait d'apprendre qu'elle attendait son septième enfant ; elle n'avait pas les moyens de régler les frais de cantine du petit dernier. Ni de payer l'électricité, le téléphone, le loyer. Elle n'avait pas envoyé d'argent à ses parents depuis des semaines ; le frigidaire était vide et « plutôt mourir que de demander de l'aide à mon mari ».

En tant que juif, à la rubrique histoires vécues, j'avais toujours un récit encore plus tragique dans la tête : celui de ces familles que les nazis avaient brûlées vives – hommes, femmes et enfants – en les parquant dans une maison avant d'y mettre le feu, ou encore celui de cet homme qu'ils avaient contraint à creuser sa propre tombe avant de l'enterrer vivant, ce nourrisson projeté contre un mur...

— Arrêtez ! s'écriait enfin Mouna, vous allez finir par me donner le cafard.

Mais je sentais qu'elle allait mieux : elle souriait presque. Le récit d'un malheur a des vertus revigorantes pour celui qui l'écoute.

Quelquefois, elle arrivait affublée de grosses lunettes noires pour cacher les hématomes qui auréolaient ses yeux. Je la faisais asseoir sur mon lit, je calais son dos avec un coussin, je lui servais un verre de jus d'orange, j'ouvrais la fenêtre afin qu'elle respire un air pur – cette femme passait un tiers de sa vie dans les transports en commun à inhaler des gaz corporels nocifs pour sa santé morale –, je lui racontais des histoires drôles. Elle riait. Elle aimait mon humour bien qu'il fût juif. Son visage brun s'illuminait.

— Avec vous, je retrouve le moral, me confiait-elle.

Lui donner espoir, c'était ma façon de l'enjuiver. Cet instant de bonheur durait rarement plus de dix minutes.

— Je dois travailler, disait Mouna en se levant.

Je la suppliais de rester. Surtout ne pas me retrouver seul ! Je criais :

— Restez Mouna !

Elle revenait vers moi et remontait ma couverture alors que je n'avais besoin que de chaleur morale. Puis elle partait. J'allumais le téléviseur, je sélectionnais une chaîne musicale – jamais les informations –, j'écoutais la musique des jeunes – elle m'empêchait de penser – jusqu'à ce que les infirmières arrivent. Miriam, d'abord, l'infirmière en chef – celle qui donnait les ordres –, une petite brune au regard de fouine qui avait dû être kapo dans une autre vie. Elle n'ouvrait la bouche que pour hurler « prenez-lui sa température ! donnez-lui ses médicaments ! faites-lui sa toilette ! ». Elle me grondait comme un enfant pris en faute lorsqu'elle constatait que mes draps étaient mouillés – Dolto avait pourtant condamné cette pratique humiliante. J'étais « lui », « le », « il », une entité impersonnelle et abstraite.

Ainsi j'apprenais de sa bouche ce que les élèves infirmières allaient me faire.

Elles s'exécutaient. La première, Elise, secouait avec vigueur le thermomètre qu'elle me plaçait sous l'aisselle tandis que la deuxième, Emma, triait mes pilules. La troisième enfin, Cuong, m'aidait à me lever et m'entraînait dans la salle de bains. Nous restions seuls, les autres étaient déjà parties. La voix de Cuong était un chuchotement. J'aimais l'écouter même si je n'entendais pas distinctement ce qu'elle me disait. Les murmures sont des mots d'amour. D'elle, je ne connaissais que le parfum sucré de son haleine et la finesse du grain de sa peau claire. Elle me déshabillait sans aucune gêne ; moi, j'avais honte de me retrouver nu devant cette jeune femme qui aurait pu être ma maîtresse ; je me taisais. Je me laissais faire. Elle me lavait de la tête aux pieds sans esquiver aucune zone de mon corps. Cette femme faisait preuve d'une vraie conscience professionnelle. Entre ses mains, j'étais un homme comblé. Elle m'enveloppait dans une serviette chaude, me séchait vigoureusement, puis me rhabillait avant de s'éclipser.

C'était au tour de la femme de ménage : elle voulait changer mes draps, aérer la pièce, nettoyer le sol avant la visite du médecin. Elle chantonnait, paraissait heureuse d'exécuter les actes dérisoires de l'hygiène. Je l'observais tandis qu'elle passait la serpillière sur le sol, à quatre pattes, les fesses tendues comme une offrande que je refusais tout en rêvant à ce que nous aurions pu faire ensemble si moi aussi j'avais eu la force de me traîner ainsi par terre. Ses seins se balançaient au rythme des mouvements de ses bras, frôlaient le sol humide. La voilà qui se relevait, contemplait son travail et partait, satisfaite, sans me dire au revoir. Enfin, le docteur Fabre, une petite rousse à la peau laiteuse dont on disait qu'elle était féministe ; elle aurait même participé à la révolution sexuelle qui avait fait tant de bien à l'humanité. Les rumeurs les plus folles couraient sur elle. Elle aurait été la maîtresse du directeur de l'hôpital, du chef de service de gynécologie, de l'anesthésiste, de l'interne en psychiatrie, de l'externe en gériatrie, mais aussi celle de l'infirmier de garde, de l'économe, de l'homme de ménage, de l'ambulancier : cette femme ne pratiquait aucune discrimination sociale au sein de l'hôpital – c'était une vraie militante. Elle me parlait avec respect grâce au numéro tatoué sur mon poignet, les femmes adorent les tatouages. Elle voulait que je lui raconte. Si elle s'était blottie dans mes bras, je lui aurais tout dit ! Elle n'avait jamais le temps.

Il était déjà midi quand Nadia, la kinésithérapeute, entrait dans ma chambre. Elle n'était faite que d'ombres : brune à la peau mate. Ongles peints en noir. Paupières colorées en gris anthracite. Lèvres violacées. Officiellement, elle me massait des pieds à la tête pour prévenir la formation d'escarres. Officieusement, elle me donnait du plaisir. Par petites pressions de ses doigts fins sur mon dos et mes fesses. Elle irriguait mon corps, mon cerveau, mon sexe.

L'hôpital : un petit monde peuplé de femmes entièrement soumises à mon désir. Une sorte de maison close qui prenait tout en charge. J'étais nourri, logé, blanchi, aimé aux frais d'une mère maquerelle généreuse : la Sécurité sociale. Que pouvais-je exiger d'autre ? Qu'elles restent auprès de moi ! Car à peine avaient-elles franchi le pas vers la sortie que déjà le chaos s'installait. Chaque soir, je m'endormais avec des pensées criminelles. Mon corps était en état de siège ; je subissais l'occupation d'un non-juif qui gagnait chaque jour du terrain et dans ses terres retranchées, le juif vivait reclus, comme au temps du ghetto. Comment expliquer aux médecins que je n'avais pas tenté de me suicider ? Il s'agissait d'une tentative de meurtre avec préméditation. Et l'assassin était là, tapi en moi, prêt à recommencer.

Il recommença le lendemain après-midi, à 15 heures précises. Mon voisin de palier était venu me rendre visite. Il me raconta que c'était lui qui m'avait trouvé inanimé dans ma salle de bains. Il avait frappé à ma porte, puis, ne recevant aucune réponse alors qu'il m'avait vu rentrer chez moi quelques minutes auparavant, avait appelé les pompiers. Il m'apporta une valise remplie d'effets personnels et m'assura qu'il prenait soin de mon chat. Un quart d'heure plus tard, il était parti. En ouvrant mon sac, je constatai qu'il y avait glissé des phylactères. Je décidai de les mettre. J'enroulai les lanières de cuir autour de mon bras gauche et plaçai la petite boîte noire entre mes yeux ainsi que l'ordonne la Loi. Je commençais à me balancer d'avant en arrière quand soudain la lanière glissa autour de mon cou et sangla ma carotide. Je me débattis, tentant d'inspirer un filet d'air, mais les lanières s'emmêlèrent et, en l'espace de quelques secondes, je me retrouvai ficelé. J'allais mourir étranglé pendant ma prière alors que je demandais protection et assistance à l'Éternel ! Je tirai de toutes mes forces sur la lanière, manquant de m'étouffer davantage quand Mouna fit irruption dans la pièce.

— À l'aide ! s'écria-t-elle.

Moi, je refusais qu'un témoin assistât à mon agonie. Elle se précipita sur moi, défit le nœud d'un geste brusque, puis posa ses lèvres sur les miennes pour me réanimer. Je sentis son souffle chaud dans ma bouche. Je respirai profondément pendant quelques minutes, une main posée sur mon cœur dont je percevais les battements saccadés. Mouna me tendit un grand verre d'eau.

— Ça va mieux ?

— Oui, murmurai-je en avalant le liquide glacé par petites gorgées.

Quand Mouna était près de moi, j'aimais mon prochain comme moi-même, les hommes naissaient libres et égaux en droits, j'avais confiance en l'humanité. Cela ne durait jamais plus de quelques secondes.

Elle passa ses doigts sur les marques violacées qui barraient mon cou, puis se leva.

— Je vais appeler le docteur Fabre.

J'attrapai violemment son bras.

— Non ! Je ne vous laisserai pas me dénoncer !

Mouna, qui savait très bien où menaient les dénonciations, promit de se taire. Combien de fois avait-elle pleuré sur mon épaule en gémissant : « Je ne veux pas qu'on m'enlève mes enfants ! » répétant ainsi une phrase mille fois entendue à Auschwitz. Mouna avait été dénoncée par ses voisins. Des hommes avaient débarqué chez elle un matin en criant : « Services sociaux, ouvrez ! » ; ils lui avaient expliqué qu'elle s'absentait trop de chez elle alors qu'elle le savait déjà : « Comment pourrais-je être à la fois chez moi et sur mon lieu de travail ? » répliqua-t-elle. Elle ne possédait pas le don d'ubiquité. Moi, si : « Les juifs sont partout. »

Mouna sanglotait chaque fois qu'elle me parlait de ses enfants : Je n'ai qu'eux au monde, disait-elle.

Je n'existais donc pas pour elle. Je me taisais ; je l'écoutais – je préfère écouter les autres que moi-même : je n'ai jamais rien eu à me dire –, je la rassurais :

— Personne ne vous prendra vos enfants.

Je mentais. La sénilité me fait dire des choses terribles. Je lui demandai de s'approcher. Elle se blottit contre moi. Sa peau exhalait un parfum sucré et épicé. Ses larmes chaudes glissaient sur mon visage. Je n'aime jamais autant les femmes que lorsqu'elles pleurent. Elles sont alors si vulnérables. Il devient si facile de les posséder. Chaque geste est perçu comme un signe de réconfort : une caresse sur le visage, une étreinte, une main désinvolte posée sur leurs seins, leurs jambes, tout est permis. Leur docilité me bouleverse. Non que je désire profiter de leur abandon, mais j'aime me sentir utile. Faire l'amour à une femme triste, c'est lui redonner goût au bonheur. Je voulais aider Mouna – je sais être généreux avec les femmes – aussi lui caressai-je le dos. Elle se laissa faire.

— Je dois partir, dit-elle en se redressant.

Et, sur ces mots, elle quitta ma chambre.

Dès qu'elle fut partie, j'enroulai un foulard en soie autour de mon cou pour cacher mes blessures. J'avais besoin de dormir un peu. Je me retournai sur le côté gauche, puis sur le droit, sur le dos, sur le ventre : je ne trouvais pas le sommeil. Le juif se mit à compter ses morts tandis que le non-juif comptait les moutons. Comment m'endormir au milieu de ces moutons et de ces cadavres ? Le juif récitait par cœur des listes entières de déportés, énumérant les noms et les dates de déportation de chacun. Il comptait, recomptait, dressait des listes dans sa tête : surtout ne rien écrire, ne pas constituer de fichier, réciter, réciter encore, atteindre la fin de l'alphabet, verser des larmes à chaque lettre et mourir un peu au « W ». Des Weissmann de tous âges, hommes ou femmes, issus de tous milieux sociaux : il y avait l'embarras du choix. Et supporter encore, en énonçant ce nom, le poids de leur regard, l'écho de leurs cris, l'expression de leur douleur. Il comptait, recomptait les victimes des nazis : en oublier une eût été un sacrilège. Aussi vérifiait-il deux fois, trois fois, dix fois jusqu'à ce que la vérité fût rétablie. Lorsque, malgré ses précautions et sa rigueur, il omettait un nom, il recommençait à réciter la liste depuis le début. Ne pas laisser son cerveau s'atrophier : l'alzheimer est la pire des maladies pour un juif. Il additionnait encore et encore. Le non-juif dormait déjà, bercé par les sauts des moutons. Et lui répétait les noms des victimes. Comme il enviait le sommeil de l'Autre, cette part de lui-même qui n'était plus juive, délestée du fardeau de la mémoire ! Mais il acceptait son sort avec résignation. Il était l'Elu : Dieu ne l'avait-il pas choisi entre tous les hommes pour compter les morts ?

Je consultai le psychiatre de l'hôpital – en désaccord avec moi-même. Le docteur François Celan m'attendait devant la porte du cabinet de consultation, un café à la main. Au premier abord, il m'inspira confiance : il devait être âgé d'une cinquantaine d'années. Ses cheveux lissés en brushing, sa chemise impeccablement repassée, ses lunettes structurées lui conféraient prestance et autorité. Ce fut donc sans crainte que je pénétrai dans son bureau. Je fus saisi par l'étrangeté du lieu. Seule la pâle lumière du jour filtrait à travers les vitres. Il n'y avait ni lampe, ni bougies pour éclairer cette pièce aussi humide et obscure qu'un tombeau. Les murs enduits de crépi exhalaient une odeur âcre et rance, mélange d'effluves corporels et de relents d'esprits tourmentés. Les quelques objets épars déposés sur le bureau étaient recouverts d'une pellicule de poussière. Une horloge accrochée au mur indiquait 12 h 15.

— Allongez-vous, murmura le docteur Celan en désignant un divan en velours rouge qui avait dû porter tant de névroses.

J'étais déterminé à lui raconter mes tourments dès la première séance : à mon âge, il faut savoir aller à l'essentiel.

Il s'installa derrière son bureau en verre, le regard perdu dans le vide, puis il ouvrit une pochette en cuir et en sortit une fiche cartonnée.

— Bien, commençons. Vous vous appelez Saül Weissmann, vous êtes né à Paris le 24 octobre 1920.

— C'est exact.

— Vous êtes marié, vous avez des enfants ?

— Non.

— Des antécédents familiaux ?

— La mort.

— Vous avez des proches qui se sont suicidés ?

— Qui vous parle de suicide ?

J'étais abasourdi.

— Je vous rappelle que vous avez fait une tentative de suicide.

— Qui a pu vous dire une chose pareille ?

— C'est inscrit sur votre dossier.

— Eh bien c'est une erreur ! Jamais je n'aurais porté atteinte à l'intégrité physique d'un vieillard, je ne suis pas un monstre. Et puis, j'aurais eu mille occasions de me suicider en tant que juif et je ne l'ai pas fait, ce n'est pas maintenant que…

— Dans ce cas, comment expliquez-vous qu'on vous ait retrouvé inanimé dans votre salle de bains avec trois tubes vides d'anxiolytiques et d'antidépresseurs à portée de main ?

— J'ai été victime d'une tentative de meurtre.

— Quelqu'un aurait tenté de vous tuer ?

— Oui.

— Dans ce cas, cette affaire ne relève plus de mon ressort mais de celui de la police.

— La police ? Je ne veux plus avoir affaire à la police française.

— Alors dites-moi : qui aurait tenté de vous tuer ?

Je ne répondis pas. Je ne pouvais pas dénoncer un juif, nous n'étions plus en temps de guerre.

— Répondez-moi, monsieur Weissmann, qui a tenté de vous supprimer ?

Je me tus. Même sous la torture, je ne dirais rien. J'avais suivi un entraînement intensif pendant la guerre. Je connaissais toutes les parades au harcèlement psychologique.

— Pourquoi aurait-on tenté de vous tuer, vous avez des ennemis ?

Je ne lui avouai pas que j'étais mon propre ennemi.

— Monsieur Weissmann, il faut que vous coopériez. Qui a tenté de vous assassiner ?

Aucun son ne sortit de ma bouche. Il pouvait bien me lapider, je resterais muet.

— Si vous ne me répondez pas, je ne pourrai pas vous aider !

Il attendit quelques instants, puis reprit :

— Bien, ne répondez pas ; c'est votre droit. Je voudrais toutefois savoir ce que vous ressentez, là, tout de suite.

— Je ne ressens rien.

— Vous n'éprouvez aucun sentiment particulier, joie, colère, angoisse ?

— Non, rien.

Je mentais. S'il savait la fureur des tourments qui m'habitaient ! Je me sentais traqué par des meutes de

loups ! Des hommes me dévoraient à pleines dents !
On m'écartelait ! On m'embrochait ! On m'incisait !
J'étais un cadavre en putréfaction : sans défense,
soumis aux pires avanies, rongé par les parasites et la
vermine, oublié, misérable, au fond d'une boîte qui
aurait pu servir de range-livres si elle n'avait été assi-
gnée à cette fonction de porte-corps ! J'étais ce mort
encore frais, banni à tout jamais du monde des
vivants, mis en terre. Affaire classée. Il gît – seul –
dans ce lieu vide et froid. *« Car tu es poussière et tu
retourneras à la poussière. »* Il rentre sous terre – se
souvient-il seulement d'y avoir déjà été – misérable et
nu, livré à lui-même, sans espoir de retour. Oublié.
Oui oublié, car qui se soucie des morts ?

Ce que je ressentais, je ne le confierais pas à un psychiatre.

Celan me dévisagea d'un air inquiet.

— J'ai besoin de savoir de quelle nature est votre
problème.

— C'est un problème juif.

— Expliquez-moi.

— J'ai vécu pendant soixante-dix ans en tant que
juif, et un rabbin vient de m'annoncer que je ne le suis
pas.

— Je ne vois aucun problème : vous avez le droit
de vous considérer comme juif même si d'autres juifs
ne vous reconnaissent pas en tant que tel.

— Vous ne comprenez donc pas ! Si je décède
cette nuit – Dieu m'en préserve – et que le rabbin me
dénonce, mon corps ne pourra être inhumé dans un
cimetière juif ; à mon âge, on se soucie plus de sa mort
que de la naissance de son enfant. Il me poursuivra

jusqu'à ma tombe, son livre de prières à la main, en hurlant : « Cet homme est un imposteur ! » Les croque-morts transporteront ma dépouille dans un autre espace, loin des miens. Aucune voix n'invoquera l'Éternel en faisant mon éloge funèbre. Personne ne récitera le *kaddish* pour le repos de mon âme malade !

— Ne vous inquiétez pas, ce rabbin ne peut rien faire contre vous.

— Il m'exclut de mon peuple, à cause de lui, ma fiancée me quitte, je n'ai plus d'identité, ne voyez-vous donc pas que je suis victime d'un complot juif ourdi par cet homme !

Celan griffonna quelques mots sur la fiche qui était posée sur son bureau. Son ventre émit un borborygme.

— Ce rabbin considère qu'il n'y a qu'une façon d'être juif ; en réalité, il y en a mille…

— Dans ce cas, laquelle choisir ?

— Choisissez celle qui vous convient le mieux.

— Il me faudrait une vie entière pour me décider et compte tenu du temps qu'il me reste à vivre…

— C'est dans le regard des autres que vous saurez si vous êtes juif.

— Dans le regard des autres…, répétai-je, sceptique.

— Fermez les yeux !

Je m'exécutai. Mes paupières étaient closes – j'avais peur. Il faisait noir et froid, je ne pouvais pas crier. Soudain, des milliers de paires d'yeux, comme des boules phosphorescentes, surgirent de l'obscurité.

— Alors, que voyez-vous ?

Dans les yeux de mes morts, il n'y avait que de la peur.

— Je ne vois rien.

— C'est impossible, regardez bien.

Je me concentrai davantage sur les regards de Simone et du rabbin.

— Il n'y a aucun doute possible : je ne suis pas juif.

— Essayez encore. Plongez-vous dans d'autres regards.

Je plissai les yeux. Les souvenirs se pressaient dans ma tête. Je me remémorai mon arrivée au camp d'Auschwitz. Nous étions tous descendus du train sauf ceux qui étaient morts pendant le trajet – la sélection avait déjà commencé. Des hommes armés de chiens hurlaient. Nous ne parlions pas un traître mot d'allemand, pourtant nous comprîmes ce qu'ils attendaient de nous à la tonalité de leurs cris : les nazis étaient d'excellents professeurs de langue. Ils nous divisèrent en deux groupes : les femmes et les enfants à gauche, les hommes à droite comme à la synagogue. J'ai d'abord pensé que c'était une application de la Loi juive – on ne mélange pas les hommes avec les femmes –, mais quand j'ai vu les deux groupes s'éloigner dans deux directions opposées, j'ai compris que la seule prière que nous écouterions tous ensemble serait le *kaddish*, la prière des morts. J'ai observé le gardien du camp : j'étais juif dans son regard.

— Alors ? s'impatienta Celan dont le ventre commençait à produire toutes sortes de gargouillements.

— Dans certains regards, je suis juif ; dans d'autres, je ne le suis pas.

Brusquement, il retira ses lunettes.

— Maintenant regardez-moi bien !

Tenta-t-il de m'hypnotiser, de lire dans mon âme ? Je cédai. Stupeur : j'étais fou dans son regard ; je me gardai bien de le lui dire.

— Alors ? demanda-t-il sur un ton qui trahissait sa lassitude.

Je ne répondis pas.

— Vous ne lisez rien, n'est-ce pas ?

— C'est exact.

— C'est en vous que vous trouverez la réponse.

Je tentai l'introspection. En vain : aucune réponse ne me fut donnée. En moi, je ne découvris que des milliers de questions sans réponse. Un questionnement : c'était donc cela être juif. Se poser des questions à soi-même comme un enfant auquel personne ne répond. Il demande « Pourquoi ? », « Comment ? », il veut savoir, il interroge. Qui a la réponse ? Peut-on seulement l'écouter ? Le sommer de parler moins fort. L'enfant insiste : « Pourquoi ? » « Comment ? » Qu'il se taise ! Il continue. Son questionnement se nourrit de notre silence. Ne plus trouver d'autres issues que la violence, oui, le frapper jusqu'à ce qu'il se taise – l'entendez-vous pleurer ? –, l'étouffer, l'étrangler, de rage et de dépit. Et constater – avec effroi – que l'on a tué l'enfant de ses mains, de ses mots.

— Vous avez la réponse, n'est-ce pas ?

Je soupirai.

— Cette consultation est terminée, conclut-il en regardant sa montre.

Il était 13 heures et je n'en savais guère plus sur moi-même.

C'est un prêtre qui m'a conseillé de choisir mon camp. Il faisait sa visite hebdomadaire dans le service de gériatrie du docteur Fabre. Avant de mourir, les vieux veulent expier leurs péchés, se confesser, être bénis. Exclu de mon peuple, rejeté par l'Éternel, je me suis naturellement tourné vers cet homme bon et généreux qui m'appelait « mon fils » alors que j'avais l'âge d'être son grand-père. Il s'appelait Père Livi, ce qui était assez étonnant pour un prêtre, mais avec tous ces juifs errants, on ne sait jamais. Il était grand et mince, un peu maladroit. Il gardait constamment ses mains dans ses poches à défaut de pouvoir les poser sur le corps d'une femme. Ses yeux m'effleuraient comme des insectes volants ; à peine son regard croisait-il le mien que déjà il s'enfuyait. Il me dit :

— Je vous écoute, mon fils.

Soit. Je lui racontai mes mésaventures en prenant tout mon temps, c'était gratuit. Il m'écouta longuement, puis il déclara sur un ton fraternel :

— Dieu vous aidera à trouver la solution finale.

J'en conclus qu'il fallait tuer le juif en moi. Lorsqu'il quitta ma chambre, je demandai qu'on m'apportât mon repas. Je mangeai le pâté de porc, les pâtes aux fruits de mer et les tranches de jambon avec appétit et culpabilité. Je festoyai ainsi sous les récriminations du juif pieux qui subissait cet outrage gastronomique. Il ne tarda pas à se venger. Une heure plus tard, tandis que je tendais mon plateau à la femme de chambre, il se produisit une chose terrible : je vomis tout mon repas. Sur mes draps, par terre, sur mon pantalon, dans mon assiette, il y en avait partout : mon estomac n'avait pas su digérer les interdits. La femme de chambre appela une infirmière qui appela l'interne de garde qui appela le docteur Fabre qui appela le chef de service, et bientôt tout ce beau monde se retrouva dans ma chambre. Les infirmières constatèrent que j'avais vomi. Les médecins cherchèrent la cause de ces vomissements. La femme de ménage procéda au nettoyage. Le cuisinier en personne vint me présenter ses excuses, craignant sans doute un procès pour empoisonnement. J'avais déjà établi un diagnostic : mon corps affirmait sa judéité quand mon cœur la rejetait. Fallait-il écouter mon corps ou mon cœur ? Mon corps ne faisait que reproduire ce qu'on lui avait inculqué : en brodant une étoile jaune sur le manteau qui l'enveloppait. En tatouant un numéro sur son poignet droit. En le battant le flagellant le maltraitant le brûlant l'enterrant l'humiliant le privant le dénudant le martyrisant l'assommant le brutalisant.

On le lui avait assez répété : mon corps était juif. Sa forme, sa posture, son odeur.

Ce jour-là, dans cette chambre d'hôpital, mon corps me fit pitié.

Le docteur Fabre diagnostiqua une indigestion :

— Après le lavage d'estomac que vous avez subi, vous ne deviez pas manger autant. Ce n'est rien, dans deux jours tout au plus, vous serez rétabli.

Elle était assise au bord de mon lit. Ses cheveux roux tombaient en cascade sur ses épaules. Il m'aurait suffi de tendre la main pour les caresser.

— Monsieur Weissmann, je constate que vous n'avez pas reçu une seule visite.

Le ton de sa voix était aussi triste qu'un air de musique yiddish.

— Mon voisin est venu m'apporter quelques affaires.

— Je parle de votre famille.

— Je suis ma seule famille.

— Vous n'avez pas d'amis ?

— L'amitié n'est qu'un succédané de l'amour du prochain qui a causé bien assez de haine.

— Epargnez-moi vos aphorismes ! Je m'inquiète pour votre avenir !

— Mais enfin vous êtes gériatre pas obstétricienne, comment pouvez-vous parler d'avenir ?

Elle balança sa tête en arrière en soupirant.

— Je dis simplement qu'il n'est pas bon de vivre seul pour un homme de votre âge.

— Je le sais, c'est d'ailleurs pour cette raison que je souhaite rester ici.

— Mais vous ne pouvez pas vivre éternellement à l'hôpital ! Ce n'est ni votre résidence principale ni votre résidence secondaire ! Je crois qu'à l'issue de votre hospitalisation il faudrait envisager un placement en maison de repos.

— Me reposer ? Mais enfin, il y a la mort pour cela !

— Vous n'êtes pas à l'abri d'une mauvaise chute, d'un problème médical, et il existe d'excellentes structures médicalisées.

— Des mouroirs !

— Mais non ! je pense à des structures privées, la Fondation Rothschild par exemple.

Quoi ? Elle voulait me parquer avec une bande de vieillards, tous juifs – c'est ce qu'ils prétendent – qui ont choisi de finir leurs vies ensemble – ils ne connaissent que le ghetto ; avec l'âge, ce n'est pas la mort que l'on redoute le plus, mais le changement des habitudes. J'y avais donné deux représentations quelques mois auparavant. Le lieu m'avait semblé austère et froid. À l'entrée, il y avait un *lobby* où des dizaines de vieux juifs refaisaient le monde. Non, je refusais de mourir là-bas.

— Alors qu'en dites-vous ? demanda Fabre en exhibant ses grandes dents.

— C'est une excellente idée.

« Une idée antisémite », pensai-je : elle voulait donc me renvoyer dans mon ghetto.

La nuit suivante, je ne dormis pas. Le juif montait la garde. J'avais chanté des berceuses, récité quelques prières apaisantes, rien n'y fit. « Je suis armé », m'avait-il menacé tout en me faisant tirer la langue. Ces années d'errance et d'emprisonnement l'avaient rendu fou. Je ne parvenais plus à le maîtriser : il était devenu incontrôlable et inassimilable. Je tentai de le maintenir à distance : en vain. Sitôt la nuit tombée, il commençait sa veillée funèbre. Ma tête devenait son mémorial. Seule une présence féminine le rassurait. Aussi étais-je contraint d'appuyer sur la sonnette d'appel à plusieurs reprises. « J'ai faim, j'ai soif, j'ai envie d'aller aux toilettes, je veux me lever, j'ai mal au dos, j'ai chaud, j'ai froid », j'inventais mille excuses afin qu'un membre de l'équipe médicale de sexe féminin se déplaçât. C'était généralement Mouna qui accourait, juchée sur ses talons compensés.

— Qu'est-ce qu'il y a encore ? me grondait-elle.

— Je n'arrive pas à m'endormir.

— Allons, monsieur Weissmann, il faut vous reposer.

Elle me caressait les cheveux ; elle cajolait l'enfant qui sommeillait en moi, lui murmurait des mots doux. Elle restait cinq ou dix minutes à mon côté, rarement plus à cause des vieillards – ces égoïstes – qui la réclamaient dans les chambres voisines. Je lui confiais mes angoisses. Elle m'écoutait.

— Vous êtes la femme qu'il me faut, lui avouai-je.

Elle prit mes mains dans les siennes puis, sur un ton langoureux qui me fit frissonner, elle me dit :

— J'ai la solution à votre problème.

Une femme, la solution à mon problème identitaire ! Je revenais de ma promenade matinale (qui consistait à arpenter de long en large les couloirs de l'hôpital) quand je la trouvai dans ma chambre. La première chose que je remarquai fut son dos. Elle ne portait pas de soutien-gorge, rien qu'un pull-over décolleté qui laissait entrevoir sa peau dont le hâle contrastait avec la blancheur de la maille. Une masse de cheveux bruns balayait ses reins. Entre son pull-over et sa minijupe en skaï noir, j'entrapercevais encore sa peau et l'élastique de son slip rouge qui dépassait. Je pensais : que fait-elle ici ? mais j'oubliais presque aussitôt ma question. Il n'y avait plus que cette peau mate et ces cheveux dont la vue, le parfum me rendaient fou, les rendaient fous. Je savais que je posséderais cette femme. Quels que soient son âge, les traits de son visage, le timbre de sa voix. Ce dos, cette cambrure suscitaient en moi suffisamment de désir.

Je me tenais à quelques mètres d'elle, silencieux, prêt à glisser mes doigts dans l'échancrure de son pull-over (car, en cet instant, je ne me souciais pas plus de la morale que de la mort). Rester derrière elle.

Ne pas croiser son regard. La saisir par la taille. Je m'approchai davantage sans faire de bruit. Je ne voulais pas qu'elle se retournât – non. Ne rien savoir d'elle que ce dos, ces reins. Soulever ses cheveux. Contempler sa nuque. La baiser du bout des lèvres. Caresser ses épaules. Ne garder que cette face inconnue. Ne pas parler. Je sentais le parfum de sa peau. Je pouvais presque la toucher. Je posai une main sur ses boucles brunes. C'est alors qu'elle se retourna. Je fis un bond en arrière. J'étais pétrifié. Cette femme qui avait éveillé en moi un tel désir n'avait pas plus de dix-huit ans. À peine une adolescente. Elle portait avec douleur un visage aux traits enfantins. Des lèvres fines et rosées, des joues rondes, une peau terre de Sienne, comme un masque de sable brun. Et, éclairant le tout, des yeux bleu marine dont on devinait qu'ils avaient trop pleuré.

— Vous êtes Weissmann ?

J'acquiesçai.

Je fus surpris par le timbre aigu de sa voix qui ressemblait au pépiement d'un moineau.

Je ne lui posai aucune question à cause du droit au respect de sa vie privée.

Nous échangeâmes un long regard sans proférer aucun mot – que pouvais-je lui dire qu'elle ne lisait déjà dans mes yeux ?

— Je suis envoyée par Mouna, précisa-t-elle.

Je pensais qu'elle était envoyée par Dieu.

Je savais que Mouna s'était lancée dans l'action sociale. C'était une femme motivée qui avait choisi de travailler dans le service de gériatrie par vocation. « Je lutte contre la délinquance sénile », disait-elle avec fierté : elle s'occupait de la réinsertion des vieillards en difficulté. Ses missions humanitaires consistaient à recruter quelques jeunes femmes de toutes nationalités qui prodiguaient soins et attentions à des personnes en fin de vie en se faisant passer pour des patientes. Le docteur Fabre, qui avait d'autres hommes à fouetter, n'y voyait que du feu. C'était une forme de médecine naturelle, mais, comme toutes les techniques parallèles, elle n'était pas reconnue officiellement par le conseil de l'ordre des médecins. Aucun débat de société ne fut ouvert : Mouna était pourtant en partie responsable du déficit de la Sécurité sociale : les vieux ne mouraient plus. Pire : ils revivaient. J'avais plusieurs fois remarqué la présence d'une blonde plantureuse qui ne parlait pas un mot de français dans la chambre 402. Dès qu'elle entrait, le patient – un octogénaire dépressif – s'enfermait aux toilettes. Quand elle partait, il se baladait dans les couloirs avec l'air béat d'un homme qui a gagné au loto. J'en conclus que cette femme était une magicienne aux doigts de fée. Mouna, qui n'était pas une briseuse de fantasmes, ne me contredit pas ; aussi m'envoya-t-elle une jeune femme qui parlait français sans me fournir un seul renseignement.

— Je m'appelle Minnie, me dit l'ange qui me regardait.

C'était un rêve d'enfant.

Elle ôta sa jupe, ses bas résille, ses escarpins, puis elle se mit au lit et éteignit la lumière. La chambre était plongée dans l'obscurité. À tâtons, je me dirigeai jusqu'à mon lit et me glissai dans mes draps. Minnie se recroquevilla contre moi. Elle enroula ses jambes autour de ma taille. Sa bouche frôlait la mienne. Mon cœur fuguait. Il réclamait de l'espace, du grand air et de la vitesse. J'avais trouvé en Minnie la source originelle du bonheur. La peau d'une femme peut être le plus doux des euphorisants, il suffit seulement de respirer la bonne personne.

— J'ai froid, susurra Minnie en se rapprochant de moi.

Peu m'importaient les raisons qui l'avaient incitée à se blottir contre moi, elles me satisfaisaient toutes. Cherchait-elle un grand-père, un père ? Allez savoir ! J'assumerais tous les rôles pourvu qu'elle restât dans mes bras. Désirait-elle de l'argent ? Je le lui donnerais. Par la seule grâce de son sourire, Minnie me ramenait au monde des vivants. Je ne souffrais plus d'aucun conflit intérieur. Mes morts se tenaient à distance. Peu importait que je sois juif ou non : entre ses bras, j'étais un homme. Elle me déshabilla sans que je le lui demande. Je fermai les yeux. Quand elle retira mon caleçon, elle se mit à rire.

— Je ne savais pas que tu étais juif ! s'exclamat-elle en désignant mon sexe.

— Je l'ai été, il y a bien longtemps.

Je m'allongeai près d'elle et commençai à caresser ses seins. Je massai sa peau comme on pétrit une pâte. Je n'avais pas fait l'amour à une femme depuis des mois ; à une femme aussi jeune, depuis des décennies.

— C'est la première fois que je couche avec un juif, dit-elle avec une pointe d'excitation ou de dégoût – comment savoir ? J'étais un peu sourd d'oreille – dans la voix.

Et, sur ces mots, elle pressa son corps brûlant contre le mien. Elle introduisit sa langue dans mes tympans, puis dans ma bouche. Elle me lécha du cou aux orteils avant de sécher ma peau humide avec le drap. Mais moi, je ne la désirais plus. Sa seule remarque avait suffi à me paralyser les membres. Ainsi reconnu, le juif en moi se réveilla. Puisqu'il était question de lui : Non ! il ne ferait pas l'amour à cette jeune femme ! Je la repoussai d'un geste brusque. Elle sursauta et me regarda avec stupeur, les lèvres entrouvertes.

— Qu'est-ce qui te prend ! J'ai dit quelque chose de mal ?

Le juif était là, entre nous. Ce sexe circoncis était le sien. Il pouvait en faire ce que bon lui semblait. Ce soir-là, il ne voulait rien en faire.

Elle ramena ses jambes contre son torse. Je ne bougeai pas. J'observais mon sexe mou avec désolation. Elle glissa sa main sous le drap et se mit à me caresser frénétiquement. En vain. Après trois minutes d'efforts infructueux, elle la retira.

— Ce n'est pas grave, cela arrive parfois, dit-elle en me tournant le dos.

Le conte de fées s'achevait en drame. Je me serrai contre elle et laissai le sommeil m'envahir. Le juif ne se manifesta plus. Au petit matin, lorsque j'ouvris les yeux, je constatai que Minnie était partie. Ma montre en or aussi avait disparu. En souvenir de moi, Minnie l'avait emportée.

Le juif avait donc décidé de mon impuissance. Il empêchait toute érection. « Sale juif ! » m'écriai-je en constatant la mollesse de mon sexe. « Sale juif ! » Il avait fait fuir la seule femme qui s'était offerte à moi. « Sale juif ! Sale juif ! Sale juif ! » répétai-je pour exorciser le mal qui me rongeait. Je confiai mes troubles à Mouna ; elle me conseilla de consulter un marabout africain :

— En une séance, il aura chassé votre juif, m'assura-t-elle en me tendant une carte de visite sur laquelle étaient imprimées les mentions : « Mamadou Cissé, marabout, grand mage d'Afrique, guérisseur, exorciste, résout vos problèmes sexuels. »

J'y vis un signe du destin.

— Amenez-le-moi ! implorai-je.

Une heure plus tard, il poussa la porte de ma chambre. Il m'impressionna par sa prestance : c'était un vrai mage qui portait cape et couronne d'or. À chacun de ses doigts brillait une chevalière incrustée de diamants et de pierres précieuses. Autour de son cou, des chaînes ornées de pendentifs magiques se balançaient. Sans même me dire bonjour, il me demanda la somme de mille francs en espèces, ce qui n'était pas cher payé pour être débarrassé d'un homme. Je lui expliquai qu'il fallait tuer le juif en moi. Il me répondit qu'il connaissait son travail. Il ne parut même pas étonné lorsque je lui fis part de ma requête, cet homme assassinait chaque jour plusieurs personnes par la seule force de ses incantations maléfiques. Il fit brûler de l'encens, puis sortit de sa poche une petite poupée en chiffon dans laquelle il planta plusieurs aiguilles. Mon cœur battait la chamade. Chaque fois qu'il introduisait une aiguille dans le petit corps souple, j'étais pris de violents soubresauts. Il me somma de lui donner l'un de mes sous-vêtements. Je me dévêtis et lui tendis mon tricot de peau qu'il fit aussitôt tournoyer au-dessus de sa tête, comme un lasso, en prononçant des formules cabalistiques. Il gémit, hurla dans un dialecte étrange. Il était en transe. De grosses gouttes de sueur glissaient sur son visage. Ses yeux sortaient de leurs orbites. Il me tapa sur le torse, doucement d'abord, puis de plus en plus fort en vociférant des injures antisémites. Il cita Céline dans le texte, ce qui força mon admiration. Il se livra à une danse endiablée en invoquant les esprits des sorciers africains. Il m'enduisit le front d'onguents brûlants. Enfin, il se calma en ventilant son visage avec ses billets de banque.

Quand il sortit de ma chambre, je me sentis apaisé. Le juif en moi avait choisi l'exil ; Dieu seul savait où il traînait encore. Qui l'accueillerait ? Qui voudrait d'une âme juive : handicapée, criblée de cicatrices ? Trop lourde à porter.

Cela ne me concernait plus.

Il revint le soir même : on ne se débarrasse pas si facilement d'un juif. Je voulais m'assurer qu'il était définitivement parti et tester ainsi la réalité des pouvoirs du mage. Je récitai le *kaddish* tout doucement d'abord, puis de plus en plus fort. Chaque syllabe me tailladait la glotte. Des larmes roulaient dans mes yeux. Je hurlais quand Mouna fit irruption dans ma chambre. Imprégnée de prières et de larmes, mon âme juive avait refait surface.

— Il faut renouveler l'expérience, me dit Mouna en me caressant le front, votre juif est coriace.

Je refusai : à la magie noire, je préférais encore la mystique juive.

J'employai les grands moyens : je lus. Des pamphlets antisémites. De la bonne littérature, pas des ouvrages de littérateurs sans envergure, des plumitifs déplumés. Je choisis des *grands écrivains* – je ne cite aucun nom, je ne suis pas un délateur –, ceux que l'on trouve dans toutes les bibliothèques, que l'on étudie en classe et dont on loue le style dans les colonnes des meilleurs journaux. Quitte à se faire du mal, autant y prendre plaisir. Je demandai au docteur Fabre de me choisir une belle édition. Je ne regardai pas à la dépense, mes écrivains n'économisaient pas leur haine. J'ouvris le livre – fébrilement –, j'abusai de ma liberté de conscience. À chaque ligne, il y avait crime contre l'humanité. Atteinte au respect dû aux morts. Dénonciation calomnieuse. Torture morale. Atteinte à l'intégrité psychique. Provocation au suicide. Discrimination raciale.

Les mots sont comme les morts. Ils nous dupent. Inertes en apparence. Couchés, cadavres dans un cercueil de papier. Inoffensifs. On s'approche sans crainte, et hop ! ils vous sautent à la gorge, vous ligotent, vous martyrisent. Ou vous hantent. Ils commettent leurs méfaits en silence. Il suffit pourtant de tendre un peu l'oreille pour entendre leurs cris stridents. Êtres humains que l'on saigne, feuilles de papier que l'on signe. Des millions de mots armés livrant bataille à des millions d'âmes. Je n'avais lu que cinquante pages et j'avais déjà la nausée. Je sentis que mon juif flanchait, oui, il lâchait prise, le voilà qui se courbait sous la pression des lettres réunies sur les pages blanches. Il était accablé – le pauvre ! – par une haine de papier. C'est qu'il connaissait – lui – la valeur du livre, la force d'un mot et les secrets qui se terraient entre les lettres. Depuis sa naissance, on lui conjuguait à tous les temps le verbe lire. Il savait que les mots se disputaient entre eux, se contredisaient. Comment faire taire cette hargne dont ils se paraient soudain sous la dictée d'un homme ? Je lus plusieurs jours d'affilée. Je me flagellais à coups de mots, je jouissais et je souffrais je souffrais je souffrais

Quand je refermai le livre, les mots se turent. Il n'en resta plus rien. Mon juif était toujours là. Les morts, eux, n'en finissaient plus de hurler.

Il fallait être rationnel : seul le docteur Celan pouvait m'aider. J'attendis notre séance avec la patience d'un juif qui espère.

— C'en est assez ! Débarrassez-moi de ce juif !
m'écriai-je en pénétrant dans le cabinet du docteur
Celan.

— Calmez-vous ! monsieur Weissmann. Et allongez-
vous.

Je m'assis face à lui.

— Je préfère rester là.

Je voulais le surveiller. Dieu sait ce qu'il faisait pendant que je lui parlais ! Feuilletait-il un journal ?
Lisait-il un livre ?

— C'est impossible, la position allongée est une
donnée essentielle de la thérapie.

Je ne bougeai pas de ma chaise.

— Lors de notre première séance, vous avez
accepté de vous allonger sur le divan.

Aucun son ne sortit de ma bouche.

— Je ne vous obligerai pas à vous étendre, monsieur Weissmann, mais vous devez comprendre que je
suis là pour vous aider. Vous me parlez, je vous
écoute. Il n'y a plus que cette parole entre nous. Si
vous ne vous allongez pas, vous ne vous exprimerez
pas librement.

Je fis ce qu'il me demandait. Les yeux fixés au plafond, j'attendis qu'il posât ses questions.

— Comment vous sentez-vous ?

— Mal. Très mal.

— Qu'est-ce qui ne va pas ?

— Je ne dors plus, docteur ! Le sommeil est mon tombeau.

— Depuis quand souffrez-vous d'altérations du sommeil ?

— Depuis soixante-dix ans.

— Comment !

— Cela fait soixante-dix ans que je subis une présence juive. J'ai connu la guerre, la haine. À cause de ce juif, ma vie fut un enfer. C'en est trop ! Débarrassez-moi de lui !

— Je ne suis que psychiatre, monsieur Weissmann.

Il craignait d'être poursuivi pour complicité d'assassinat, exercice illégal de la médecine et incitation à la haine de soi.

— Pourquoi voulez-vous vous débarrasser de lui ?

— Il conspire contre moi.

— Poursuivez.

— Il me harcèle nuit et jour.

J'inspirai profondément.

— Je ne me sens en sécurité nulle part y compris en moi.

— Mais encore ?

— Il exerce une mauvaise influence sur moi.

Le docteur Celan racla sa gorge.

— C'est un fauteur de troubles !

— Quels genres de troubles ?

— L'impuissance, la névrose…

Celan m'interrompit.

— L'impuissance, dites-vous ? Vous souffrez de troubles de l'érection ?

— Oui, à cause de lui.

— Monsieur Weissmann, ne cherchez pas un bouc émissaire ! Savez-vous qu'à partir de soixante ans un homme sur deux présente ce genre de troubles ? Votre défaillance de l'érection est organique. Avec l'âge, les vaisseaux et les muscles sont moins souples. Aujourd'hui, nous disposons d'un arsenal thérapeutique très performant pour remédier à ce problème.

— Et la névrose ?

— Quels sont les éléments qui vous font penser à la névrose ?

— Il y a deux hommes qui cohabitent en moi : l'un est juif, l'autre pas. Ils ne me laissent jamais en paix.

— Les conflits psychiques sont fréquents chez les personnes ayant vécu un drame personnel et vous n'êtes pas qualifié pour établir un diagnostic.

— Il n'y a pas que ça.

— Je vous écoute.

— Ce juif me porte malheur.

— Que voulez-vous dire ?

— En tant que juif, ma vie fut une succession d'échecs et de tragédies.

— C'est en tant qu'homme qu'elle le fut.

— Non ! À l'âge de dix ans, j'ai été agressé par un inconnu qui m'a traité de « sale juif ! » à la sortie de l'école. Pendant la guerre, j'ai été exclu du barreau de Paris et interdit d'exercice parce que j'étais juif. Ah ! Si seulement j'avais pu plaider ma cause ! Mais à l'époque, être juif, cela méritait la peine de mort. Sans procès. J'ai été déporté à Auschwitz avec toute ma famille pour les mêmes raisons. Mes parents ont été exterminés par les nazis au seul motif qu'ils étaient juifs. Je ne m'en suis sorti que grâce à la chance, qui n'est pas une valeur juive, l'Histoire l'a prouvé. Après la guerre, je me suis marié, mais ma femme a demandé le divorce après trois mois de mariage. Toutes mes autres compagnes sont parties sans même me laisser un mot d'adieu. Je n'ai pas eu d'enfant. Il y a deux ans, j'ai quitté les États-Unis pour l'amour d'une femme. Quelques semaines à peine après mon arrivée en France, elle m'a mis à la porte de chez elle sans un mot d'explication. Le seul être auquel je tenais plus que tout, mon chat, est devenu antisémite. Je n'ai aucune fortune personnelle : tous les biens juifs de mes parents ont été pillés pendant la guerre ; je souffre de diverses maladies juives de l'âme. Quand je pense que je suis un élu de Dieu…

— L'élection ne vous met pas à l'abri du malheur. Elle vous confère simplement une certaine responsabilité vis-à-vis des autres…

— Mais je ne veux être responsable de personne ! Je n'arrive déjà pas à me prendre en charge !

— Vous devez assumer votre identité.

— Je l'ai déjà bien assez assumée.

— Nul ne peut nier ses origines. Quoi que vous fassiez, votre passé vous rattrapera.

— Je veux être libre.

— Vous l'êtes ! Rappelez-vous : tous les hommes naissent libres et égaux en droits.

— Oui, mais le restent-ils ?

— Les temps ont changé, les juifs sont désormais des hommes libres.

— Moïse nous a dit la même chose il y a cinq mille ans quand il nous a fait sortir d'Égypte. Regardez ce que nous avons vécu depuis…

— Les juifs ont un État.

— Un nouveau ghetto.

— Un lieu où ils ne seront plus persécutés.

— Ils se persécuteront entre eux !

— Mais enfin…

— Je refuse de ne vivre qu'avec des juifs sous prétexte que je suis indésirable ailleurs !

— Personne ne vous oblige à vous installer en Israël. Les juifs sont libres et vous êtes libre d'être juif.

— Dans ce cas, je ne veux pas l'être. Débarrassez-moi de ce juif. Ce type me porte malheur ! Qu'on le chasse !

— Vous me demandez de déraciner un arbre vieux de plus de cinq mille ans.

— Je me fous de l'écologie ! Qu'on l'abatte !

— Il vous menace tant ?

Je me gardai bien de lui dire que je dormais avec un revolver sous mon oreiller à cause des six millions de fantômes qui rôdaient. Je répondis « non », mais je devinai à son regard assassin qu'il ne me croyait pas.

— La séance est terminée, dit-il en notant quelques mots sur ma fiche. Nous nous reverrons la semaine prochaine.

Je me levai et le suivis jusqu'à la sortie. À quelques mètres de la porte, je prétextai avoir oublié mon mouchoir sur le divan et je retournai dans son cabinet. Ma fiche était posée sur son bureau. Je la lus. Près de mon nom, il avait noté au crayon de papier : délire de persécution. C'était un diagnostic antisémite, cela ne faisait aucun doute.

J'entendis des bruits de pas dans le couloir. Je rangeai la fiche dans ma poche. Celan était derrière moi. Je tremblais.

— Vous allez bien, monsieur Weissmann ?

— Oui.

Je le regardai avec méfiance. Je pensai qu'il était un espion au service des Allemands.

— Vous êtes sûr que ça va ? insista-t-il.

— Oui, répétai-je en sortant.

Dès que je fus dans le couloir, je sortis la fiche de ma poche. Au dos, il avait noté la mention « internement ». « Une mesure antisémite ! » m'exclamai-je. J'avais déjà été interné en 1942. Des centaines d'hommes, de femmes et d'enfants parqués dans quelques mètres carrés, privés de tout y compris de leur dignité.

Je pris mes jambes à mon cou.

Il fallait fuir – ô triste destinée juive ! – une fois encore, quitter ces lieux qui m'étaient devenus familiers, ces femmes que j'avais aimées. Avant de partir, je retournai dans ma chambre pour prendre mes affaires. Une mauvaise surprise m'attendait.

Simone ! Je ne l'avais pas revue depuis des jours, peut-être des semaines. À l'hôpital, j'avais perdu la notion du temps. Elle se tenait devant moi, le dos légèrement voûté, engoncée dans un manteau en lainage qui moulait ses hanches. Un foulard blanc à grosses rayures bleues glissait le long de son buste comme un châle de prière. Dieu qu'elle était laide ! Je me gardai bien de le lui dire, les abus de liberté d'expression sont dangereux pour la santé morale. Elle avait beaucoup grossi depuis notre dernière rencontre. Ses seins lui arrivaient maintenant au niveau de la taille. Ses joues s'étaient empâtées, formant un collier de chair sous son menton. Ses cheveux crépus encadraient son visage. Nulle trace de beauté sur ce masque humain altéré.

— Que viens-tu faire ici ?

— J'ai appris que tu avais été malade.

— Qui te l'a dit ?

— Ton voisin. Je suis passée chez toi, tu n'étais pas là alors j'ai sonné chez lui. Il m'a dit que je te trouverais ici. Que s'est-il passé exactement ? il m'a parlé d'un accident.

— En quelque sorte.

Je n'osai pas lui avouer que j'avais été victime d'une tentative de meurtre.

— Comment te sens-tu ?

— Bien.

— Je trouve que tu as une mine d'enterrement.

À mon âge, pouvait-il en être autrement ?

Je vidai mon armoire et rangeai mes quelques affaires dans mon sac. Puis j'ouvris un à un les tiroirs de ma table de nuit.

Simone s'approcha de moi.

— Et moi, comment me trouves-tu ? me demanda-t-elle en désignant ses cheveux laqués.

Je répondis :

— Tu n'as pas changé, expression outrageante qu'elle accueillit comme un compliment.

Elle saisit mon bras et me fit pivoter. Je me retrouvai face à elle, incapable de m'échapper tant elle me serrait fortement.

— Je suis venue te parler, dit-elle sur un ton solennel qui laissait présager le pire.

— Nous n'avons plus rien à nous dire.

Elle desserra son étreinte. Je saisis mon manteau et me dirigeai vers la porte de sortie.

— Où vas-tu ?

— Je pars.

— Et où comptes-tu aller ?

— Je rentre chez moi.

— Les médecins te laissent sortir ?

— Je ne suis pas encore sous tutelle.

— Je viens avec toi.

— Tu l'as dit toi-même : nous n'avons rien à faire ensemble.

— Tout a changé. Je veux t'épouser.

— Qu'est-ce qui a changé ?

— Je suis enceinte.

— Ce n'est pas sérieux ?

Enceinte après ces vagues étreintes qui m'avaient laissé aussi frustré qu'un nourrisson sevré ?

— C'est très sérieux : je suis enceinte de quelques semaines.

— Tu mens.

Une vieille fille est capable de tout pour mettre la corde au cou d'un homme.

— Regarde-moi, dit-elle en tendant son visage.

Sa peau était parsemée de taches noirâtres, les mêmes que celles qui assombrissaient la peau de mes mains. Si ses taches symbolisaient la vie à naître, les miennes annonçaient la mort prochaine.

— C'est le masque de grossesse, ajouta-t-elle en passant sa main sur son visage déteint. J'ai aussi des nausées, des migraines, des malaises…

— Inutile de perdre ton temps, je ne crois pas une minute à tes balivernes.

— Je m'en doutais, dit-elle en fouillant dans son sac. Tiens, ajouta-t-elle en me tendant un test de grossesse positif. Tu vois que je ne mens pas.

— Ce test ne prouve pas que je suis le père.

— Je t'assure que tu es bien le père. Fais-moi confiance.

— Il me faut des preuves !

— Enfin Saül, regarde-moi dans les yeux !

Il fallait me résigner à admettre sa vérité. Quel autre homme aurait pu introduire son sexe dans une zone aussi polluée que son corps ?

— Qu'attends-tu de moi ?

— Que tu m'épouses ! s'écria-t-elle comme s'il s'agissait d'une évidence.

— Mais je ne peux pas t'épouser. Aurais-tu oublié que je ne suis pas juif ?

— L'enfant le sera.

Aussitôt le non-juif en moi prit la fuite : il n'assumerait pas un juif.

Elle transmettrait sa judéité à cet enfant, et moi, que lui offrirais-je ? Ma mémoire, ce cadeau empoisonné ! Je refusais de faire grandir un enfant au milieu d'un charnier. Comment apprendre à un enfant qu'il ne doit avoir peur ni des monstres ni de l'obscurité quand son père hurle la nuit ? Chaque famille a ses secrets, ses tabous, nous aurons les nôtres : nous vivrons au milieu de six millions de cadavres et il faudra faire comme si nous ne les voyions pas. Nous sentirons leur présence : mes cris pendant mon sommeil, mes réveils en sueur nous rappelleront qu'ils sont là, parmi nous. Ils ne nous laisseront jamais en paix. Et pourtant il faudra rire. Faire semblant d'être heureux, de s'aimer, de vivre. Mon enfant ne comprendra pas mes silences. Je ne tolérerai pas ses plaintes. Que pourrions-nous avoir en commun ? Il cherchera à réaliser ses rêves ; moi, j'ai passé ma vie à repousser mes cauchemars.

— Je ne t'épouserai pas et je ne veux pas de cet enfant. Je crois que, toi aussi, tu devrais y renoncer.

— Comment oses-tu me parler de la sorte ! C'est mon rôle de femme de procréer et je l'assumerai ainsi qu'il est dit : « Tu enfanteras... »

— Assez ! Ne vois-tu pas que je suis un vieillard ? Quel genre de père aura cet enfant ? Un homme en sursis !

— Garde tes états d'âme pour plus tard, l'enfant est déjà là, dit-elle en désignant son ventre difforme.

Au fond de ses entrailles flottait mon identité perdue.

Je quittais un mouroir pour devenir un jeune père, la médecine fait des miracles. Afin de ne pas éveiller les soupçons du personnel médical, Simone m'avait déguisé. Je m'étais enveloppé dans son manteau et j'avais noué son foulard sur ma tête. Simone avait fait le guet devant la porte de ma chambre. Puis, quand la voie fut libre, elle m'avait fait signe de la suivre. Nous nous étions enfuis par l'issue de secours à l'heure du déjeuner. Réunies dans la salle de garde, les infirmières étaient bien trop occupées à ne rien faire pour nous entendre. Lorsque nous fûmes enfin dehors, Simone récupéra ses affaires. Je ne portais pas de veste. Un vent froid me glaça le dos. Je m'abritai sous un porche. Simone me suivit, la mine défaite, n'osant pas briser le silence qui nous tenait compagnie. Nous restâmes ainsi un moment qui me sembla une éternité, puis je fis mine de m'éloigner.

— Je vais rentrer chez moi.

Elle fit trois grands pas dans ma direction et s'agrippa violemment à moi. À travers les mailles de mon pull-over, je sentais ses ongles qui s'enfonçaient dans ma chair.

— Pas question ! Tu viens avec moi !

Elle avait employé un ton ferme et décidé. J'étais rebelle à toute forme d'autorité. D'un geste brusque, je repoussai sa main.

— Lâche-moi !

— Je t'ordonne de venir avec moi !

— Je n'ai pas d'ordres à recevoir !

— J'ai prévenu mes parents, ils nous attendent.

— J'ai des choses à régler, je passerai plutôt demain.

— Tu viens maintenant !

— Non !

— Tais-toi et fais ce que je te dis ! hurla-t-elle si fort que des passants se retournèrent.

Comme j'aurais aimé que le non-juif en moi se réveillât, qu'il mît un terme à cette hystérie juive ! Mais il ne se manifesta pas. Il avait choisi l'exil.

J'aurais pu ne pas me rendre chez les parents de Simone, ces gens qui m'avaient rejeté quelques semaines plus tôt. J'aurais pu renoncer à donner mon nom à cette vieille fille. Mais c'eût été en priver mon enfant à naître. La paternité exigeait bien quelques sacrifices.

Les parents de Simone m'accueillirent comme le Messie. Ils s'étaient parés de vêtements luxueux et avaient dressé une table de fête sur laquelle ils avaient disposé des plateaux remplis de petits-fours ainsi que plusieurs bouteilles de champagne. En sortant de l'hôpital, Simone les avait appelés pour leur annoncer mon arrivée. J'eus à peine franchi le seuil de leur maison qu'ils se précipitèrent sur moi pour m'embrasser. Puis ce fut au tour de ses frères et sœurs, de ses oncles et tantes. Ils firent un cercle autour de nous et s'écrièrent « *Mazal tov !* » en levant leur coupe de champagne. Il n'y avait pourtant rien à fêter. Maudite l'union forcée de la vieille fille mère et du faux juif sénile ! « *Mazal tov !* » hurlaient-ils comme si le simple fait de répéter ces deux mots suffisait à nous insuffler la chance qui nous avait fait défaut pendant toute notre vie. Que venait faire la chance dans cette pièce aux murs jaunâtres, cet appartement nauséabond avec vue sur le cimetière ? Il n'était question que d'intérêts communs, de mariage forcé, d'obligations réciproques. Chanceux l'homme qui épouserait Simone ? Imaginez-la, vêtue de sa robe rouge en taffetas, avec sa tiare en strass posée de travers sur sa tête, heureuse de réaliser le rêve de sa vie, le mariage, ne le réalisant pas tout à fait puisque l'homme auquel elle s'unirait ne remplissait pas la condition *sine qua non* : être juif. Peu importe ! « L'enfant le sera », c'est ce qu'elle avait dit pour se rassurer. Et les paroles du rabbin me revinrent en mémoire : « Il faut être juif de mère en fils. » Exclus les autres ! Dehors ! Oui dehors : je vous le répète : vous n'êtes pas juif alors dehors ! vous n'avez rien à faire ici – oui dehors ! faut-il que je crie plus fort ? L'entrée est interdite à toute personne étrangère. Vous comprenez : il me faut des preuves DES PREUVES ! Simone s'était finalement contentée d'un sexe circoncis alors qu'il ne faut pas se fier aux apparences.

Le père de Simone prit la parole.

— Un peu de silence ! s'écria-t-il.

Aussitôt les invités se turent. Lui continua de hurler.

— À défaut de pouvoir se marier devant Dieu, Simone et Saül vont s'unir devant le maire. Je suis fier de dire que ma fille s'appellera bientôt Simone Weissmann.

En entendant ces paroles, la mère de Simone lâcha un cri de délivrance pareil à celui d'une femme qui accouche.

Le père de Simone se tourna vers moi, sa coupe de champagne à la main.

— Mon cher Saül, je vous considère dorénavant comme mon fils.

J'avais l'âge d'être son frère.

Après m'avoir rejeté, cet homme m'exprimait son affection, me valorisait devant les siens, bénissait mon union avec sa fille. Quelques semaines auparavant, il m'avait claqué la porte au nez sans ménagement, et voilà qu'il m'ouvrait sa maison et ses bras le même jour. Je me sentais excité et heureux, oui, jusqu'à ce que Simone avouât la raison de ce soudain intérêt pour ma personne.

— Grâce à Saül, je vais enfin reprendre un nom juif !

Les invités applaudirent. Sa mère l'embrassa. Son père avala cul sec deux verres de whisky. Une ronde se forma autour d'elle. Je m'assis sur une chaise, un verre de vodka à la main, et les observai : ils tournoyaient en frappant leurs talons contre le sol, ils exprimaient leur joie bruyamment alors que le bonheur n'est qu'un murmure fugitif qui impose le silence. Il s'agissait donc d'un mariage d'intérêt. Tandis que certaines femmes recherchaient un homme riche, Simone, elle, traquait un nom juif. La guerre avait non seulement engendré la mort de millions de juifs mais aussi l'anéantissement de milliers de noms. À la mort physique succédait la mort spirituelle. Avant la guerre, les parents de Simone s'appelaient Morgenstern. Son père, pour les raisons que l'on devine, avait demandé une modification de son état civil : s'appeler Morgenstern, c'était comme porter l'étoile jaune. Conciliante avec les juifs désireux de se faire radier en tant que tels, l'Administration lui attribua le nom « Dubuisson » aux sonorités si douces. Oublié Morgenstern avec ses sons gutturaux et ses « r » dressés comme un rempart entre lui et les autres ! Il espérait ainsi se fondre dans la masse, devenir un Français *comme les autres.* Mais cet homme ne se douta pas qu'en agissant ainsi il serait soupçonné du crime de haute trahison par les siens : « Dubuisson, ce n'est pas juif », concluaient-ils à l'énoncé de son nom, contraignant le pauvre homme à se justifier et à arborer une étoile de David autour de son cou pour affirmer son identité. Après le port de l'étoile jaune qui permettait aux nazis de reconnaître les juifs, voilà que les juifs eux-mêmes s'imposaient le port de l'étoile en or pour se reconnaître entre eux ! Pourtant rien n'y fit : aux yeux des siens, Dubuisson restait un être suspect, un intrus, un imposteur. Quelques années plus tard, il avait donc demandé la restitution de son nom d'origine. Quelle ne fut pas sa stupeur d'apprendre que le Conseil d'État rejetait sa demande au motif que Morgenstern était un nom à consonance étrangère ! Il dut se résoudre à conserver son nom d'emprunt, « Dubuisson », qu'il portait comme une verrue sur le visage.

En m'épousant, Simone retrouvait donc une part de sa judéité. Pouvait-elle rêver plus beau cadeau de mariage ?

Notre mariage civil fut célébré dans la plus stricte intimité. Seuls les parents de Simone, ses frères et sœurs et nos témoins furent conviés. Il fallait cacher la grossesse de Simone à cause du qu'en-dira-t-on, sorte de diffamation familiale non punie par la loi qui risquait d'entacher son honneur et la réputation de ses parents. Pour l'occasion, son père m'avait prêté le costume en soie naturelle qu'il portait lors des célébrations mortuaires. J'avais acheté un chapeau de feutre noir ainsi qu'une paire de mocassins en cuir. Lorsque je me regardai dans le miroir, je fus saisi par mon élégance. Je ressemblais trait pour trait à cet acteur italien qui avait joué dans *Parfum de femme*. Je portais beau mes soixante-dix ans, et, s'il n'y avait eu Simone à mon bras, j'aurais pu envisager l'avenir. Mais dans ma situation, l'avenir avait la même vue qu'une fenêtre sur cour.

Un photographe immortalisa l'événement. Simone, engoncée dans sa robe, souriait béatement. Il la photographia dans diverses positions : assise sur les marches de l'escalier d'entrée, accroupie devant une gerbe de fleurs, debout contre un arbre, avant de lui demander de me rejoindre. Quand elle s'avança vers moi, je crus qu'elle boitait tant ses jambes ployaient sous le poids de son corps. Elle désira s'asseoir sur mes genoux, je l'en dissuadai. Elle se contenta de m'enlacer sans relâcher un seul instant ses maxillaires. Enfin, l'adjoint au maire, un homme au corps trapu surmonté d'un visage anguleux, nous fit signe de prendre place dans la salle des mariages. Son discours ne dura pas plus de deux minutes, il y a tout de même des unions que le bon sens réprouve. À la question « Voulez-vous prendre pour époux Monsieur Saül Weissmann, ici présent ? », Simone répondit « oui » avec enthousiasme. Puis la question rituelle me fut posée. Je me tournai vers Simone : son visage n'était plus qu'une flaque de fond de teint mélangé à de la sueur.

— Alors ? s'impatienta l'adjoint au maire.

J'avais la gorge nouée. Aucun son ne sortait de ma bouche.

— Alors ? insista-t-il.

Je lâchai un « oui » inaudible. Quelques secondes plus tard, ma tête hurla « non ! ». Trop tard. Simone, les paupières mi-closes, tendait déjà sa bouche béante vers moi. Je posai mes lèvres sur les siennes comme on hésite à s'asseoir sur la lunette de toilettes publiques. Les quelques personnes présentes applaudirent avant de s'élancer vers nous pour nous étreindre. Le père de Simone glissa un chèque dans ma poche. Il m'offrit une dot de deux cent mille francs pour le sacrifice que j'avais consenti à faire en épousant sa fille. À cette dernière, il légua un appartement mitoyen au sien de cent vingt mètres carrés avec vue sur le cimetière, ce qui présentait un intérêt pratique indéniable : le jour où je mourrais, elle n'aurait qu'à traverser la rue pour me rendre visite. Sous l'effet de l'émotion, Simone éclata en sanglots.

— Tu es enfin mariée, chuchota la mère de Simone à l'oreille de sa fille pour l'apaiser.

Elle allait enfin donner un sens à sa vie. À plusieurs reprises, Simone m'avait confié son regret de ne pas avoir poursuivi ses études après son certificat d'aptitude professionnelle, section couture, mais sa mère lui avait enseigné qu'une femme n'a pas besoin du baccalauréat pour être une bonne épouse. Il suffisait de se soumettre à la Loi divine, aux lois des hommes, à la loi d'un homme.

— À partir d'aujourd'hui, vous connaîtrez huit jours de réjouissances ! s'exclama la mère de Simone en me salissant du regard.

Et mon cauchemar commença.

Ils se réjouirent de ma mort prochaine. Le soir même de notre mariage, Simone me mit à la porte :

— Reviens dans deux heures, m'ordonna-t-elle.

Je crus qu'elle s'attelait à la préparation de notre nuit de noces. Je m'étais rendu dans un petit troquet de Belleville. Quelques ivrognes jouaient au poker dans un coin. J'avais bu pour me donner du courage. Comment en étais-je arrivé là ? J'avais été un jeune homme séduisant, plein d'avenir. Je me revoyais, sortant du Palais de justice *avant qu'il soit interdit aux juifs d'exercer une profession libérale* ; je m'arrêtais en chemin pour téléphoner à la femme que j'aimais *avant qu'il soit interdit aux juifs de pénétrer dans une cabine téléphonique*, prenais le bus *avant qu'il soit interdit aux juifs d'utiliser les transports publics*, pour la retrouver dans un parc *avant qu'il soit interdit aux juifs de pénétrer dans un jardin public*, l'entraînais au musée, au cinéma, à la piscine ou au théâtre *avant qu'il soit interdit aux juifs de pénétrer dans ces lieux* et passais le reste de la soirée à la terrasse d'un café de l'île Saint-Louis, *avant qu'il soit interdit aux juifs de s'attabler dans les cafés et les restaurants.* J'étais devenu un vieillard souffreteux, miséreux. Assis seul à ma table, dans ce bar malfamé, je songeais à l'épreuve que Simone m'infligerait. Je l'imaginais, allongée sur le lit, vêtue d'une simple nuisette (cette vision suffisait à alimenter ma migraine), le bassin sanglé dans un porte-jarretelles. Elle s'approcherait de moi, collerait ses chairs flasques contre mon corps et écorcherait ma peau avec ses ongles. J'avalai cul sec trois vodkas aussitôt suivies de deux whiskys, trois bières, un cocktail maison, un gin tonic. J'étais ivre lorsque je rentrai à l'appartement.

La porte s'ouvrit à peine, que j'entendis des cris, des rires, des applaudissements. Simone avait organisé à mon insu un anniversaire surprise pour fêter mes soixante et onze ans. Elle avait réuni les quelques membres de sa famille présents lors du mariage civil. Ils avaient patienté dans l'obscurité, gloussant d'excitation à l'idée de me surprendre. Ils s'étaient groupés au milieu de la pièce et chantaient à tue-tête « joyeux anniversaire. » Des ballons multicolores avaient été accrochés aux murs. Simone tenait entre ses mains un gâteau au chocolat recouvert de bougies. Je sentis des baisers sur mes joues, des accolades, des serrements de main : je crus me sentir mal. Ces gens fêtaient ce qui me faisait horreur : moi, le vieillard que j'étais devenu. J'avais caché mon désarroi derrière un sourire ; personne, pas même Simone, ne songea à lever le voile qui obscurcissait mon regard. Ils se fiaient aux apparences : je paraissais heureux, je portais mes soixante et onze ans sur mesure. Le visage de Simone irradiait de bonheur. Quant aux autres, ils m'observaient avec cet air lucide et blessé qu'ont les propriétaires de vieux chiens. Ils me transperçaient l'âme. Il me suffisait de les regarder pour comprendre que je n'étais plus ; pourtant tous s'obstinaient à me complimenter sur mon « allure jeune », mon « dynamisme », « mon intarissable énergie », certains osant même me demander le secret de mon « éternelle jeunesse ».

Ils se trompaient : j'étais vieux ; je dissimulais mes rides derrière mes sourires ; je feignais d'être en pleine forme même quand la fatigue me dévorait ; le moindre acte de la vie quotidienne était une souffrance : nouer mes chaussures, monter les escaliers, enfiler ma veste. Faire l'amour. Oui, j'étais vieux et je n'avais plus qu'une chose à faire : trouver la porte de sortie. Je fis semblant de rire, de manger, d'être heureux. Assez ! Je ne me supportais plus. Chaque regard de femme était devenu une incitation au suicide. La vieillesse et son cortège de maux sont une atteinte à la dignité humaine, à l'intégrité physique ainsi qu'une violation du droit de chacun à disposer de lui-même. Le corps nous impose sa loi. Le cœur se balance au bout d'une corde raide ; moi, j'ai toujours eu peur du vide. La mort est un crime contre l'Humanité, c'est pourtant la seule mesure qui ne soit pas discriminatoire.

J'avais tellement de choses à vivre. On m'en privait. Et il fallait dire « merci ». Mes pieds se dérobent sous mes pas – merci – mes dents se déchaussent – merci – mes os s'effritent – merci – mes cheveux tombent – merci – mon sexe ne me sert plus qu'à pisser – merci. Je vais mourir. Mon corps sera rongé par les vers. Et je devrais dire merci.

Merde.

(Nuit de noces)

Le lendemain de notre mariage, Simone dévoila sa véritable nature. Les femmes sont ainsi faites qu'elles se croient en terrain conquis sitôt qu'elles ont pris possession d'un homme. La reconnaissance juridique de leurs liens amoureux leur donne l'illusion de ne plus jamais être menacées d'expulsion. Dès le premier jour de notre installation dans l'appartement de cent vingt mètres carrés avec vue sur le cimetière, Simone me déposséda de tous mes biens. Elle me somma de me débarrasser de mes livres – romans, dictionnaires, essais, ouvrages anciens que j'avais accumulés au cours de ma vie –, ce qui éveilla mes soupçons : cette femme n'était-elle pas issue du peuple du Livre ? Elle parut exaspérée lorsqu'elle découvrit les caisses qui s'entassaient dans le couloir de l'entrée :

— Que veux-tu que je fasse de tous ces livres !

— Tu pourrais commencer par les lire.

— Les lire ! mais dans quel but ?

— La littérature est salvatrice, invoquai-je pour tenter d'obtenir sa clémence.

— Seul le Messie nous sauvera !

— Mes livres sont ma seule famille !

— Brûle-les ! répliqua-t-elle sèchement.

Je ne pus m'y résoudre : je savais où menaient les autodafés. Le cœur lourd, je déposai tous mes objets personnels dans une consigne et dissimulai quelques livres dans le tiroir de ma table de nuit. Je ne pouvais pas m'endormir sans avoir au préalable caressé leurs couvertures cartonnées, tourné leurs pages jaunies et cornées, comme un enfant ne trouve le sommeil qu'en tâtant un vieux tissu. Les livres ne repoussaient pas mes cauchemars, non, mais ils apportaient à mon esprit tourmenté une nouvelle matière, d'autres histoires. Les vies de mes héros romanesques se substituaient à la mienne. Je n'étais plus qu'un personnage de second plan : c'est ce que j'avais toujours rêvé d'être.

Simone me demanda également de vendre mes meubles, mais après maintes négociations, elle accepta que je conserve mon rocking-chair en cuir et mon candélabre. Elle rangea mes marionnettes dans une malle qu'elle plaça dans la cave affectée à la morgue. Elle jeta à la poubelle mes vieux costumes de scène. Elle déchira ma photo dédicacée de Brigitte Bardot. Quant au chat, elle me dit que, s'il pénétrait chez elle, elle le lancerait par la fenêtre. Je ne m'opposai pas à ses exigences. Je me sentais las. Je regrettais l'hôpital et son cortège de femmes payées pour assurer mon bien-être. S'il n'y avait eu ce psychanalyste antisémite, je serais encore sous haute protection féminine. Je pensai à sa conclusion : « Internement. » La vie au côté de Simone s'y apparentait bien. Je supportais ses cris, j'exécutais ses ordres, je subissais ses reproches. La rigidité de son comportement, le contrôle qu'elle exerçait sur le moindre de mes mouvements m'oppressaient ; les interdits qu'elle m'imposait me bridaient plus sûrement qu'une camisole de force. Je subissais une censure religieuse, sociale et amoureuse. Car Simone n'envisageait l'amour que dans le respect des préceptes religieux, des convenances sociales et dans l'aliénation de l'autre. Il m'était interdit de regarder une autre femme, de sortir seul, de m'adresser à nos voisins. Interdit de faire référence à mon passé sentimental, de feuilleter un magazine, d'aller au cinéma. Elle vérifiait le contenu des livres que je lisais pour s'assurer qu'aucune héroïne de roman ne me détournât d'elle. Elle jeta *Lolita* de Nabokov, *Madame Bovary* de Flaubert, *Anna Karénine* de Tolstoï, et elle hurla de rage en me menaçant de me dénoncer à son père lorsqu'elle découvrit un livre au titre aussi provocateur que *J'irai cracher sur vos tombes.* Simone m'autorisa toutefois à conserver la Bible ; n'y avait-il pas plus de violence pourtant, d'érotisme, de bruit et de fureur que dans toute la littérature ? Je gardai le silence par crainte de me voir refuser l'accès à l'ultime ouvrage que je détenais en ma possession.

Il m'était interdit d'écrire le jour saint du shabbat, de me raser, de mélanger le lait et la viande. Interdit de parler la bouche pleine, de garder mes chaussures dans l'appartement, de fumer au salon.

Je songeai que j'avais vécu une vie d'interdits. Interdits imposés par l'autorité parentale, l'autorité nazie, l'autorité amoureuse. Interdits liés à ma judéité : règles de vie prescrites par Dieu, règles de mort édictées par les hommes. Et aujourd'hui : interdits imposés par une femme. C'en était trop. Je ne supportais plus Simone. Après quelques jours de vie commune, j'implorai Dieu de me libérer du joug de cette femme méchante qui me traitait comme un esclave, et, pour la première fois de ma vie, Dieu répondit à mon appel ; il répandit dix plaies sur Simone :

Les nausées et vomissements.

La migraine.

Les pelades.

La somnolence.

Les malaises.

Les hémorroïdes.

Les crampes.

Les pertes salivaires.

Les démangeaisons.

Les brûlures d'estomac.

La mort de son premier-né lui fut épargnée.

Ainsi atteint dans sa chair, le corps de Simone n'était plus qu'une plaie purulente. Mais ces douleurs n'étaient rien comparées aux envies soudaines et irrépressibles qu'elle exprimait à tout moment de la journée et qu'il fallait qu'elle assouvisse sur-le-champ : envie de manger une choucroute garnie au milieu de la nuit ; envie de vomir ; envie d'uriner en tout lieu et à toute heure.

À ces troubles fonctionnels furent associées de violentes crises morales. Sans aucun signe annonciateur, Simone fondait en larmes. La moindre contrariété engendrait un état dépressif qui pouvait durer plusieurs heures et qui ne se calmait que par l'absorption d'une dose massive d'aliments sucrés : chocolat sous toutes ses formes, bonbons, gâteaux, glaces. Elle refusa de prendre les calmants homéopathiques que lui avait prescrits son médecin par crainte de porter atteinte à la santé de l'enfant. C'était donc moi qui les ingérais dès mon réveil. Je les associais à quelques anxiolytiques que j'avalais avec un verre d'alcool ; ainsi je supportais mieux la grossesse et ses petits tracas.

Simone se réveillait et se couchait en geignant. Jamais je n'avais vu une femme tant souffrir. « Tu enfanteras dans la douleur » : elle appliquait le précepte biblique à la lettre. Je pensai même que cet enfant était antisémite. Comment expliquer autrement cette torture, ces traitements inhumains et dégradants qu'il infligeait à cette pauvre femme juive sans défense ? Mais le gynécologue me rassura et désigna les hormones comme seules responsables.

Pauvre Simone ! Les passants changeaient de trottoir lorsqu'ils la croisaient dans la rue, son médecin l'auscultait avec une moue de dégoût, le coiffeur refusait de lui accorder un rendez-vous, nos voisins ne lui adressaient jamais la parole ; personne, hormis ses proches, ne prenait de ses nouvelles, les enfants l'injuriaient ou lui crachaient au visage ; pourtant, porter un enfant juif n'était plus un crime. Après réflexion, je compris que les passants ne méprisaient pas Simone parce qu'elle était juive, non, elle les terrifiait par sa laideur physique. Simone ne sortait plus pour ne pas avoir à subir ces marques de haine et d'indifférence.

Je l'encourageai à rester claquemurée chez elle. Comme je l'ai appris pendant la guerre : pour vivre heureux, vivons cachés. Elle passait déjà toutes ses journées à la maison quand le médecin diagnostiqua une béance du col de l'utérus au quatrième mois de grossesse. Simone fut condamnée à garder le lit. Elle n'avait pas le droit de se lever ni même de bouger. Le moindre mouvement pouvait être fatal pour l'enfant ; aussi restait-elle allongée sur le dos ou sur le flanc gauche, les jambes surélevées, les mains posées sur son ventre. Ses seules activités consistaient à manger et à visionner des téléfilms. Tandis que son cerveau s'atrophiait, son corps s'étoffait. Son ventre, gavé de liquide amniotique, de sang et de graisse, se distendit. Des vergetures violacées zébrèrent son bas-ventre. Ses mollets, parsemés de veinules étoilées, doublèrent de volume. Et ses pieds, qui supportaient cette stature, enflèrent jusqu'à ne plus pouvoir se glisser dans la moindre pantoufle. Mais les hormones ne se contentèrent pas de martyriser son corps. Elles assiégèrent rapidement sa tête. Ses cheveux blanchirent, puis tombèrent par touffes. Un duvet noirâtre envahit ses joues et le contour de ses lèvres. Ses dents se recouvrirent de tartre. Les taches qui assombrissaient déjà la partie médiane de son visage se répandirent à la zone frontale. Enfin, le cerveau fut endommagé. Simone délirait. Elle m'accusa d'entretenir des liaisons avec des femmes imaginaires, violant ainsi la présomption d'innocence dont tout homme soupçonné d'adultère devrait bénéficier. Il y avait la plantureuse Rachel, une jeune veuve que je consolais dans l'arrière-boutique. Puis elle inventa Jeanne que je retrouvais dans mon studio de la rue des Rosiers tous les matins à 9 heures ; Béatrice qui m'attendait à l'entrée du cimetière à minuit et avec laquelle je faisais l'amour entre les tombes ; Martine que je couvrais de cadeaux achetés avec l'argent de son père ; Sofia que j'invitais dans des restaurants de la rive gauche. Il y avait aussi Barbara, Louise, Maud, Nathalie, Ariane, Alexandra, Sophie, Laure, Charlotte, les unes plus jeunes que les autres. Comme j'aurais aimé que ses élucubrations soient réelles ! Mais mes seules errances consistaient à manipuler mes marionnettes ; mes maîtresses étaient de simples poupées façonnées dans l'argile. Et ma main sous leurs robes, j'étais l'homme le plus heureux du monde.

Je n'avais pas renoncé aux femmes ; elles avaient renoncé à moi. Je ne les séduisais plus : je les attendrissais. Elles haussaient les épaules ou détournaient leur regard lorsque je leur souriais. Elles me tenaient la porte dans les magasins, me cédaient leur place dans le bus, m'aidaient à traverser la rue. Elles me portaient assistance. Car les vieillards sont quotidiennement en danger de mort. J'étais devenu un produit périmé. L'emballage avait vieilli. Pas assez frais. Seules les prostituées me lançaient encore des œillades lubriques. Je ne trouvais plus de bénévoles. À mon âge, la séduction avait un prix : huit cents francs. En amour, il y a toujours un débiteur et un créancier.

Aucune femme ne me désirait plus. Et, chaque soir, en me couchant, je butais sur le corps de Simone qui gisait telle une charogne au milieu d'une route.

Lorsque le médecin nous annonça que tout rapport sexuel était prohibé, je ne pus me retenir de l'étreindre. Il ne s'agissait pas d'une prescription médicale mais bien d'une mesure de compassion. Dès que Simone s'approchait de moi, je la repoussais, invoquant l'avis médical. Elle se résignait ; je la rassurais, elle serait bientôt délivrée.

— Après l'accouchement, tu retrouveras ton corps d'avant.

— Tu es si gentil, répliqua-t-elle, alors que ma remarque était une incitation au suicide.

Je m'étais finalement habitué à sa présence comme on s'accommode de petits bruits que l'on ne remarque même plus à force de les entendre : le sifflement d'un train, le trafic des voitures, la chasse d'eau.

Heureusement, la mère de Simone veillait au bien-être de sa fille. Elle cessa ses activités au sein de l'entreprise familiale pour s'occuper d'elle. Elle arrivait à 7 heures du matin et ne repartait que vers 22 heures après l'avoir couchée. Je les laissais seules ; je sortais. Je retournais dans mon ghetto parisien, je traînais dans les galeries d'art, les librairies, je visitais les musées qui présentaient des rétrospectives d'artistes dégénérés. Je ne rentrais jamais avant 19 heures. Je retrouvais Simone telle que je l'avais laissée, allongée sur son lit, un paquet de gâteaux à ses pieds. Sitôt qu'elle m'apercevait dans l'embrasure de la porte, elle me suppliait de l'embrasser ; j'allumais le téléviseur pour ne pas l'entendre. Son amour restait sans réponse. Quand elle me reprochait de rentrer tard ou de faire preuve d'indifférence à son égard, je lui disais : « Je ne t'ai rien promis, je ne t'aime pas, tu le sais depuis le premier jour. » Mon ton n'était jamais cruel, bien au contraire, on pouvait presque y déceler de la tendresse en tendant bien l'oreille. Simone souffrait d'un trop-plein d'amour, elle avait toujours un stock de larmes à écouler et il n'y a rien de pire : le stock, ça vous détruit une entreprise.

— Tu ne t'intéresses pas à moi, se plaignait-elle.

— C'est que j'ai trop à faire avec moi-même.

— Tu es incapable de vivre avec les autres.

— J'ai horreur de la promiscuité.

— Tu ne peux donc jamais cesser de tourner tout en dérision.

La dérision, c'est ce qui me permettait de supporter cette vie-là.

Chaque soir, elle dressait l'inventaire de tous ses maux. Ses états d'âme et ses troubles organiques n'avaient plus aucun secret pour moi alors que j'ai toujours milité contre la libre communication des pensées et des opinions dans le couple. L'amour ne tolère pas les aveux. Et Simone parlait trop. Quand je ne supportais plus ses confessions intimes, je quittais sa chambre. Elle me rappelait, m'implorant de rester près d'elle. Je m'asseyais sur le rebord de son lit. Elle prenait ma main, la posait sur son ventre :

— Le bébé bouge, tu le sens ? me demandait-elle.

Je hochais la tête de gauche à droite et de droite à gauche. Elle enfonçait mes doigts dans les striures de sa peau.

— Tu le sens ? répétait-elle.

Moi, je ne sentais rien que cette odeur d'urine qui imprégnait sa chemise de nuit.

J'avais lu des livres sur la grossesse, recueilli des témoignages, entendu les rumeurs les plus folles. La conception me terrifiait. Les échographies mensuelles que Simone effectuait et auxquelles j'assistais ne me rassuraient pas. Sur l'écran, je ne distinguais qu'une masse sombre comme une tumeur maligne sur le cliché d'une radiographie.

— Vous voyez sa main ? me demandait le médecin en désignant un point gris.

Je répondais par l'affirmative pour ne pas inquiéter Simone. Je l'observais : elle gisait, jambes entrouvertes, sur le lit d'examen, dans le plus simple appareil, le bas-ventre recouvert d'un liquide transparent et gluant. Une touffe de poils pubiens débordait de sa culotte. Du corps de Simone ne pouvait sortir qu'un monstre. Je l'imaginais, accroché aux organes de sa génitrice, suçant son sang. Je n'osais même plus poser mes doigts sur le ventre de Simone. Un jour où elle ressentit de violentes contractions, je me surpris même à espérer que l'enfant mourrait. Le corps de Simone serait son tombeau.

Dieu ne lui infligea pas une telle plaie et, quand l'enfant fut hors d'atteinte, je regrettai d'avoir eu ces pensées coupables. Mais la crainte perdurait. Tant que je ne le vis pas, l'enfant resta une entité abstraite et imaginaire.

Comme un juif.

— C'est un garçon ! s'écria la sage-femme en posant le bébé sur le ventre sanguinolent et difforme de Simone.

L'enfant poussa un cri semblable à celui d'un homme que l'on précipite du haut d'une falaise. Je m'approchai de lui et je caressai sa tête avec la paume de ma main. Une touffe de cheveux châtains recouvrait son crâne translucide. De grands yeux bleus illuminaient un visage aux traits fins. Je laissai glisser mes doigts sur ses lèvres entrouvertes. Rencontre de la lumière et de l'ombre. Une éclipse. Quelques années tout au plus à le regarder vivre, à respirer son odeur. Simone me regardait avec tendresse. J'éprouvais de la compassion pour elle. Oui, malgré sa chair triste, ce sang qui lui coulait entre les jambes, la sueur qui perlait sur son front, son sexe œdémateux, je l'aimais. De son corps en ruine était sorti un être doux. La sage-femme posa notre enfant sur les seins de Simone ; il se mit aussitôt à les téter goulûment.

Je somnolais quand les parents de Simone firent irruption dans la chambre, les bras chargés de paquets. Ils s'extasièrent sur la beauté de l'enfant en poussant des « Oh ! » et des « Ah ! » d'admiration avant d'organiser un conciliabule. Pour éviter tout scandale susceptible d'entacher la réputation de leur fille, ils décidèrent d'annoncer que l'enfant était né prématurément, à six mois. Ainsi, d'après les calculs de chacun, l'enfant avait été conçu le soir de la nuit de noces : l'honneur de Simone était sauf. Rapidement, tous les membres de la famille Dubuisson arrivèrent. À ceux qui s'étonnaient qu'un enfant né à vingt-deux semaines pesât quatre kilos six, les parents de Simone rétorquaient qu'il tenait de sa mère : leur fille ne pesait-elle pas cinq kilos deux à sa naissance ? Les mauvaises langues se taisaient et reprenaient leur contemplation.

Je les laissai et je me rendis à la mairie afin de faire inscrire notre enfant sur le livret de famille. L'officier d'état civil nota que le 6 avril 1992, à 19 h 31, était né Roman Weissmann du sexe masculin à Paris 12ᵉ. Il apposa le cachet officiel, puis signa avant de me rendre le document. Je restai un moment immobile, ne sachant s'il fallait partir ou rester. L'officier d'état civil n'avait pas mentionné que Roman était juif. Il n'avait même pas voulu le savoir.

En tant que mère, Simone n'était vraisemblablement pas juive. Elle se contentait du « service minimum », préparait les biberons, faisait couler l'eau du bain et, éventuellement, promenait Roman au cimetière du Père-Lachaise. Dès son retour de la clinique, elle le sevra et me le confia. Sa mère cessa ses visites : elle souffrait de dépression chronique à cause des endeuillés qui lui minaient le moral. Heureusement les affaires marchaient bien, la saison avait été bonne ; aussi le père de Simone insista-t-il pour que nous engagions une nourrice qui s'occuperait de notre enfant à mi-temps. Simone accepta ; elle ne possédait pas l'instinct maternel qui est – comme chacun sait – une invention juive. Je refusai. C'était donc moi qui prenais soin de mon fils. Je me réveillais vers 6 heures du matin – les vieux se lèvent tôt pour anticiper la mort – et j'ouvrais les volets. De ma chambre, je contemplais les caveaux ; le gris des tombes se fondait avec le gris du ciel. Ma vie aussi était un dégradé de gris. Je préparais mon café, je lisais mon journal. Simone dormait encore. J'attendais que mon fils m'appelle. C'était tantôt un cri, tantôt un babillement. Je me précipitais dans sa chambre, je l'écoutais un moment, je l'observais à travers les barreaux du lit faire des mouvements désordonnés avec ses jambes et ses bras comme une coccinelle retournée. Je m'approchais tout doucement pour ne pas l'effrayer, je le prenais dans mes bras en plaçant une main sous sa nuque. Le contact de sa peau contre la mienne me procurait un bien-être immense. Cela ressemblait à une caresse. Je ne pouvais admettre qu'un tel bonheur pût exister. Je le regardais, je le sentais, je l'effleurais du bout des doigts : il m'appartenait. Je le voulais pour moi seul, les vieux sont des égoïstes. Mais ce bonheur restait fugitif ; aussitôt une angoisse m'étreignait : je refusais de mourir. Je n'avais traversé ces soixante et onze années que dans l'attente de cet amour-là. Être père à mon âge présentait bien des avantages : j'étais plus libre pour me consacrer à mon fils ; je vivais au jour le jour, et, surtout, je ne serais jamais une charge pour lui puisque je mourrais avant qu'il eût pu s'attacher à moi. Je désirais être un père parfait. C'était un travail à temps plein, non rémunéré, souvent ingrat pour lequel je me sentais prêt à faire toutes les heures supplémentaires nécessaires sans jamais me plaindre. Je constatais que nous étions semblables ; comme moi, il avait peur de l'obscurité, il aimait qu'on lui parlât avec douceur, qu'on le caressât. Simone n'existait plus. Les nourrissons et les vieillards se comprennent à demi-mot. Placés à chacune des extrémités de la vie, ils se croisent un court instant. À peine un regard, c'est déjà fini. L'un sort d'un trou quand l'autre y tombe.

— Police ! ouvrez !

À travers la paroi de la porte, je percevais l'écho de voix masculines et le tintement de la sonnette. Je collai mon œil contre le judas : deux hommes en uniforme s'impatientaient. Leurs traits étaient déformés sous l'effet grossissant du verre. Je discernais leurs yeux globuleux, leur nez camus. Je pensais : L'ÉTAT DE GUERRE EST DÉCRÉTÉ CONTRE LES JUIFS.

— Police ! ouvrez ! répétaient-ils en cognant leurs poings contre le bois. Allons, ouvrez cette porte !

Il fallait fuir – où ? –, se cacher – où ? –, demander de l'aide – à qui ? –, résister – comment ? –, invoquer mes droits, brandir la Déclaration universelle des droits de l'homme – pourquoi ?

— Ne nous obligez pas à forcer votre porte ! s'écrièrent-ils.

Oui, partir. Sauter par la fenêtre – et Roman ? –, partir vite – pour aller où ? Quitter les lieux. Oui, se précipiter par la fenêtre du quatrième étage avec mon fils ; je retomberai sur mes pieds. S'enfuir. Courir pour prévenir Simone qui était sortie acheter des médicaments à la pharmacie. Ils frappaient de plus en plus fort. Vite ! S'échapper, s'évader, se sauver, prendre la poudre d'escampette, ou la clé des champs, déguerpir – vite ! Détaler, filer, foutre le camp, se calter, se cavaler, se carapater – ouste ! Disparaître, se dérober, s'exiler. Non ! Je ne voulais plus fuir. J'ouvris la porte. Leurs regards me glacèrent. Crimes et délits. Je n'écoutai pas leurs reproches. Injures et diffamation. Ils n'avaient pas plus de trente ans. Le plus jeune des deux m'attrapa par le bras. Coups et blessures. Ils me dévisagèrent d'un air inquiet, serrant entre leurs doigts leurs cartes professionnelles.

— Je suis l'inspecteur Duval, dit le plus jeune, et voici mon collègue, Pierre Nguyen.

Je me fichais bien de connaître l'identité de mes agresseurs.

— Vous êtes bien monsieur Weissmann ? demanda Duval en rangeant sa carte dans la poche de sa veste.

J'acquiesçai. Maudit fichier juif ! Il n'avait donc pas été détruit après la guerre.

— Nous pouvons entrer ?

Je croyais rêver : ils me demandaient l'autorisation de pénétrer chez moi. Craignant d'être poursuivi pour refus d'obéissance à l'autorité, je les laissai entrer.

— Où est l'enfant ?

Je ne répondis pas.

— Où est-il ?

— Je ne vois pas de quoi vous parlez.

— Votre voisine nous a téléphoné… Elle dit vous avoir surpris en flagrant délit de mutilation sur enfant et, en vertu de l'article…

La voisine ! Elle était venue chez moi une heure auparavant pour me faire signer une pétition. Délatrice ! Elle nous avait surpris – le médecin, les Dubuisson, Simone et moi – au moment où nous procédions à la circoncision de Roman. J'avais été troublé par son regard méfiant, les yeux de celle-qui-ne-sait-pas, et lorsqu'elle m'avait demandé ce que nous faisions, je lui avais répondu que nous étions investis d'une mission divine. Elle s'était enfuie en courant. Pensait-elle que nous pactisions avec le diable ? Nous scellions l'alliance avec Dieu.

À l'autre bout de l'appartement, on entendit le vagissement de Roman. Duval se tourna vers son collègue.

— Va voir !

Aussitôt Nguyen s'éloigna.

— Je vous en prie, ne lui faites pas de mal !

Il me lança un regard perplexe, puis se dirigea vers le couloir.

Duval s'assit sur une chaise. Je restai debout, à quelques mètres de lui. Mes mains devinrent moites.

— Eh bien ! donnez-moi votre version des faits, me dit-il en mâchonnant un stylo.

Ma gorge était si sèche que je ne pouvais articuler la moindre syllabe. Les cris stridents de Roman retentirent à travers la pièce. Je fis un pas en direction de sa chambre.

— Restez ici ! hurla Duval.

Je ne bougeai plus.

— Vous feriez mieux de coopérer sinon vous vous exposerez à de graves ennuis.

Je n'eus pas le temps de répondre, son collègue était déjà là.

— C'est un malentendu, dit-il, l'enfant a simplement été circoncis, le médecin vient de passer. L'ordonnance est là, ajouta-t-il en tendant la feuille noircie à son collègue qui la parcourut d'un œil suspicieux.

Puis, se tournant vers moi, il s'exclama :

— Il fallait nous dire tout de suite qu'il s'agissait d'une simple circoncision. Vous êtes israélite, n'est-ce pas ?

Je ne répondis pas : je ne pouvais tout de même pas me dénoncer moi-même. Duval se leva de sa chaise.

— Pourquoi ne pas nous l'avoir dit plus tôt ?

Je n'osai pas parler ni même bouger de peur de me trahir. Il s'approcha de moi. Je sentis son haleine imprégnée de l'odeur du tabac.

— Vous êtes bien israélite ? insista-t-il, « juif » était un mot imprononçable.

Il tourna autour de moi en gardant ses mains derrière son dos.

— C'est-à-dire que je l'ai été mais je ne le suis plus…

— Vous êtes israélite, oui ou non ?

Il se plaça face à moi. Roman hurla. Je m'apprêtai à me diriger vers sa chambre quand Nguyen me saisit par le bras.

— Répondez ! Êtes-vous israélite, monsieur ?

— Non.

Il relâcha la pression et chuchota quelques mots à l'oreille de son collègue, avant de se tourner vers moi.

— En êtes-vous sûr ?

— Sûr et certain.

— Avouez !

Je levai les yeux au ciel.

— Je vous conseille d'avouer que vous êtes israélite.

— Non ! non ! non ! Il n'y a rien à avouer. Je vous dis que je ne suis plus juif ! Maintenant laissez-moi !

Les deux policiers échangèrent des regards dubitatifs.

— Désolé, mais si vous n'êtes pas juif, nous ne pouvons rien faire pour vous.

Ils voulaient dire « contre moi ».

— Suivez-nous au poste de police ! m'ordonna Duval.

— Mais je viens de vous dire que…

— Ça suffit !

— Je vous en prie, non !

Nguyen posa sa main sur mon épaule.

— Calmez-vous ! Je veux seulement vous faire comprendre que si vous êtes israélite, vous ne serez pas arrêté.

Son collègue sourit en serrant ses mâchoires. Moi aussi je me mis à rire. Bruyamment. À en perdre haleine. Ces policiers faisaient de l'humour juif.

— Assez ! s'écria Duval.

Je ris de plus belle. Mon corps était secoué de spasmes.

— Assez !

Je me contorsionnais. Rien ne semblait pouvoir arrêter mon fou rire. Ni leurs menaces verbales, ni leurs regards désapprobateurs. Je préférais encore l'ancienne méthode : vous énonciez votre nom et pfff…

— Apporte-lui un verre d'eau ! dit Duval à son collègue.

Quand il revint dans la pièce, je ne riais plus. Nguyen me tendit un verre d'eau fraîche. J'y trempai mes lèvres et le posai sur la table. Duval s'approcha de moi.

— Je vous répète que si vous avouez, vous resterez libre. En tant qu'israélite, vous pouvez circoncire votre fils. Par contre, si vous ne justifiez cet acte par aucun motif religieux, c'est une autre affaire…

Duval me dévisagea ; son regard était doux, presque bienveillant. Amour du prochain ! Liberté Égalité Fraternité !

— Alors ?

— Je suis juif !

— Bien ! Vous voilà libre !

— Vous n'avez pas besoin de preuves de ma judéité ?

— Nous vous croyons sur parole.

Sans autre forme de procès, ils quittèrent les lieux.

Incroyable ! Il m'avait suffi de dire que j'étais juif pour être un homme libre.

C'était une histoire de fous. Une histoire juive.

Du même auteur :

POUR LE PIRE, *roman*, Plon, 2000 ; Pocket, 2002.

DU SEXE FÉMININ, *roman*, Plon, 2002 ; Pocket, 2004.

TOUT SUR MON FRÈRE, *roman*, Grasset, 2003 ; Le Livre de
Poche, 2005.

QUAND J'ÉTAIS DRÔLE, *roman*, Grasset, 2005 ; Le Livre
de Poche, 2008.

DOUCE FRANCE, *roman*, Grasset, 2007 ; Le Livre de
Poche, 2008.

LA DOMINATION, *roman*, Grasset, 2008 ; Le Livre de
Poche, 2010.

SIX MOIS, SIX JOURS, *roman*, Grasset, 2010 ; Le Livre de
Poche, 2011.

Composition réalisée par FACOMPO (Lisieux)

Achevé d'imprimer en novembre 2012, en France par
CPI Bussière à Saint-Amand-Montrond (Cher)
N° d'imprimeur : 124010/4.
Dépôt légal 1ʳᵉ publication : novembre 2012.
Édition 02 – novembre 2012
LIBRAIRIE GÉNÉRALE FRANÇAISE – 31, rue de Fleurus – 75278 Paris Cedex 06